KB097266

이영관
전문상담 핵심청킹

: 교원임용고시 대비

이영관 편저

이영관 전문상담 핵심청킹 : 교원 임용고시 대비

발　행 | 2024년 02월 28일
저　자 | 이영관
펴낸이 | 이영관
펴낸곳 | 도서출판 현해탄
출판사등록 | 2017. 11. 14.
주　소 | 강원특별자치도 홍천군 홍천읍 송학로 3길 16
이메일 | eltte21@naver.com
S N S | www.instagram.com/thanks_kwan

ISBN | 979-11-965442-6-3

목차

저자의 말

"선생님은 이미 합격했는데 잠깐 시간 여행 온 거라고 생각해 보는 건 어때요? 시험문제는 기억 안 나지만 내가 합격한 사실은 알고 있는 상태로 과거로 잠시 돌아왔다고 생각하는 거예요. 그리고 '이맘때쯤에는 합격한 내가 어떻게 공부하고 있었더라?' 이러고 머리 긁적이면서 공부하면 조금은 덜 지치지 않을까요? 수험생이 아니라 스스로 이미 합격한 사람이라고 생각하고 주눅 들지 않았으면 좋겠어요."

제가 대학원생이었을 때, 임용시험을 준비 중인 선배분들에게 습관적으로 건네곤 하던 응원입니다. 저 역시 비슷한 마음가짐으로 수험생활을 시작했습니다. 합격한 2024년의 이영관 선생님이 기출문제가 뭐였는지는 잊은 채. 그리웠던 수험생 시절로 잠시 돌아온 거라고 말입니다. 그렇게 2023년을 한 번 더 시간 여행하고 있는 거라고 생각했습니다. 그러면 하루가 참 소중하게 느껴집니다. 선생님들과 스터디할 때 나누는 대화는 전부 외워야 할 지식뿐이었지만. 그럼에도 같이 공부하는 동기 선생님에게 "저는 이맘때가 종종 그리울 거예요."라는 말을 건네기도 했습니다.

'오늘은 이 선생님이 나한테 뭐 물어봤고, 내 질문에 이 선생님은 뭐라고 대답했더라?' 매일 2시간 동안 전화로 나눈 대화를 머릿속으로 정리하는 시간이 많았습니다. 수화기 너머로 주고받은 지식들을 천천히 곱씹으며 복습하는 일. 사실은 그것이 퇴근 후에 제가 해낼 수 있고 실제로 해낸 공부의 전부였습니다. 그럼에도 침대 위로 몸을 던지고 스르륵 잠이 들 때면 의미 있는 하루를 만들어냈다는 생각에 기뻤습니다. 좋아하는 사람들과 나눈 이야기는 더 오래 기억나잖아요. 저는 그렇게 합격한 것 같습니다.

그렇다면 제가 쉬운 문제를 하나 내보겠습니다.

여러분은 이미 합격한 한 사람의 전문상담교사입니다. 여러분이 합격 후 배정받은 학교에는 운이 좋게도 단 한 명의 학생밖에 없습니다. 신기하게도 그 학생은 여러분이 최소 20년 이상. 매일 24시간 동안 붙어 다니면서 지켜봐온 학생이었습니다. 여러분이 1년 동안 해야 할 일은, 그 학생이 현재 시험을 하나 준비 중인데. 그 시험을 합격할 수 있도록 돕는 일입니다. 여러분들은 한 사람의 '전문상담교사'니까. 그 정도는 당연히 해내야 합니다.

눈치채셨겠지만 그 학생은 여러분 자신입니다.

'전문상담교사에 합격하시면 수백 명의 낯선 학생들을 상담할 텐데. 그 친구들이 꿈과 삶을 포기하지 않고 살아갈 수 있도록 돕는 일을 수십 년 하게 될 텐데. 이건 전문상담교사 업무 중 가장 쉬운 일이다. 내가 수십 년을 지켜봐온 학생 딱 한 명을 지지해 주고, 동기 부여해 주고, 공부할 수 있도록 조력하는 일. 이건 게임으로 따지면 튜토리얼 수준 밖에 안 된다. 전문상담교사 되려면 최소한 이 정도는 해야. 해내야지.' 저는 그렇게 생각하면서 의지를 다잡곤 했습니다. 여러분은 내년에 합격해있을 전문상담교사잖아요. 여러분이 가장 잘 알고 진심으로 응원하는 학생 한 명만 1년 동안 잘 어르고 달래서 공부시키면 되는 겁니다. 물론 쉽지 않은 일인 거 저도 알고 있습니다만, 쉬운 일이라고 스스로를 열심히 속여보는 건 어떨까요?

직장 병행과 동시에 대학원 병행. 그리고 초수 합격.
운이 좋게도 저는 그것을 해냈습니다.

다만 안타깝게도 합격 비결이나 공부법은 이 책에 없습니다. 동일한 공부법이라도 운이 좋게 합격하면 성공한 공부법이 되고, 불합격하면 실패한 공부법이 되어 1년의 노력을 부정당하게 되니까요. 소중한 돈과 시간을 내어 기꺼이 이 책을 구매해주신 선생님께, 행운이 닿길 진심으로 바랍니다.

저는 단지 평범한 사람이 낮에는 회사에 출근을 하고, 저녁에는 대학원을 다니면서 임용고시에 1년 만에 합격하는 것이 가능하다고, 그러니까 회사 일이 힘들지라도, 논문이나 연구보고서 완성하는 일이 괴롭더라도, 부디 포기는 하지 않았으면 좋겠다는 이야기를 하고 싶었습니다.

한 가지 더 안타까운 사실이 있습니다. 이 책의 청킹 또한 시험을 3개월 앞둔 8월 정도 되어야 무슨 내용인지 얼추 이해할 수 있을 것입니다. '이 청킹들 외울 바엔 차라리 내가 새로 만드는 게 낫겠다.' 그런 생각이 들 것입니다. 이 책은 그러라고 만든 책입니다. 책을 참고해서 조금 더 빠르게 여러분들만의 청킹 정리본을 완성하시길 바라는 마음으로 이 책을 만듭니다. 저는 청킹 만들고 타이핑하는데 너무 오랜 시간이 걸렸으니까요.

제가 본격적으로 청킹을 만들기 시작한 것은 7월이었고 청킹 정리본 초안을 완성한 것은 9월 중순이었습니다. 모의고사 기간 동안 수많은 청킹이 추가되거나 삭제되었습니다. 그리고 임용 시험을 4주 앞둔 10월 말이 되어서야 비로소 최종 정리본을 완성했던 것으로 기억합니다.

물론 청킹 정리본을 따로 시간 내어 공부하지는 않았습니다. 다만 침대 머리맡에 청킹 책을 놓아두고, 잠자기 전 침대에 누워 눈으로 읽기를 반복했습니다. 그러면 잠이 잘 왔습니다. 10분 만에 잠들 때도 있었고, 15분 읽다 잠들 때도 있었습니다. 그런 생활을 100일 정도 반복하다 보니 어느 순간 신기하게도 정리해둔 청킹들이 전부 기억이 났습니다.

여러분도 이 책을 참고하여 여러분만의 청킹을 만들 수 있기를 희망합니다. 부디 이 책을 그대로 외우지 않기를 바랍니다. 타인이 만든 청킹을 구해 그대로 암기하는 것보다는, 자기 스스로 청킹을 고민해서 만들어보고, 고쳐보고, 입맛대로 다시 정리해서 암기하는 속도가 훨씬 빠를 것입니다.

이 책이 여러분들의 수험생활 기간을 줄여줄 수 있기를 바랍니다.

제1장 성격심리

- Rickman 성격이론의 평가준거
  : 검.경. 포.경. 탐.

검증성 / 경제성 / 포괄성
경험적 타당성 / 탐구성

- 블록's 성격측정자료
  : 생.관.객.자. (LOTS)

생애기록 자료(L) / 관찰자 자료 (O)
객관적검사 자료(T) / 자기보고식 자료(S)

- 실험연구에서 외생변인 통제 방법
  : 무.상.균. 제거.

무선화
(어떤 외생변인 작용하는지 모를 때)
상쇄
(실험집단에 가할 처치 2개 이상일 때)
균형화
(종속변인에 영향 주는 외생변인 알 때)
제거
(외생변인 둘 다 제거 or 똑같이 작용)

- 실험연구의 내적 타당도 위협 요인
  : 검.도. 통.편. 역.성. 손.모.

검사(실험)효과 / 검사도구 / 통계적 회귀
편향된 표본 / 역사 / 성숙효과 / 손실
모방효과

- 실험연구의 외적 타당도 위협 요인
  : 플.호.실.존.

플라시보 / 호손효과
연구자(실험자) 효과 / 존헨리 효과

- 캠벨's 성격평가 방식
  : 자.위.구.

자발 - 객관
위장 - 비위장
구조화 - 비구조화

- 유형과 특질 비교
  : 특.차.양. / 유.범.질.

특질 → 차원적 → 양적 접근
유형 → 범주적 → 질적 접근

- 올포트's 특질 유형
  : 공.개. 기.중.이.

공통특질 (법칙정립연구)
개인특질 (개별사례연구)
기본특질(주특질) / 중심특질 / 이차적 성향

- 기능적 자율성의 수준 2가지 : 지.고

지속적 기능 자율성
고유자아 기능 자율성

- 고유자아 조직화 과정의 3가지 원리
 : 에.숙.고.

에너지 수준의 조직화
숙달과 능력
고유자아 패턴화

- 고유자아 발달단계
 : 신정. 존중. 확. 상. 합리적. 고유자아.

신체적 자아 / 자아정체감
자아존중감 / 자아확장 / 자아상
합리적 적응체로서의 자아
고유자아 추구

- 카텔's 성격평가 기법
 : LQT
→ 생활기록법 / 질문지법 / 검사법

- 카텔's 특질 종류
 : 공.개. / 표.원. / 역.기.능. 에.견.태.

공통특질 - 개별특질(독특한 특질)
→ 보편성 기준
표면특질 - 원천특질(근원특질)
→ 안정성, 영속성 기준

역동적 특질 - 기질특질 - 능력특질
 → 에르그 - 견해 - 대도

- 아이젱크's 성격의 위계모형
 : 유.특.습.구. (4수준 ~ 기저수준)

유형 (보편성 차원)
특질
습관
구체적 반응

- 아이젱크 성격검사(EPQ) 차원 3가지
 : PEN

외향성(E)
신경증(N) : 하위특질에 수줍음 有
정신증(P) : 하위특질에 냉담 有

- 5요인 모델 성격체계
 : 브.카.스. (B. Ca. S) + 인.생.외

기본적 성향 (Basic~) : NEO-AC
특징적 적응 (Charateristic~)
자기개념 (Self~)

[주변요소]
→ 인생경험 / 생물학적 기반 / 외부 영향

- 성격의 6요인 (HAXACO)
 : 정직-겸손성 추가
   + 정서성이 신경증 대체

- 클로닝거's 기질 차원
  : 새로움. 위험. 끈기. 보상

새로움 추구 : *BAS 관련~*
위험회피 : *세로토닌, BIS 관련 ~*
끈기
보상의존성 : *타인 감정에의 민감성*

- 클로닝거's 성품 차원
  : 자기. 자율.적으로 연대감?

자율성 / 연대감 / 자기초월

- 그레이's 강화민감성 이론의 행동 체계
  : BAS / BIS / FFS

행동 접근 체계
행동 억제 체계
투쟁-도주 체계

- 그레이's 정서조절 체계 모델
  : 추.진.위.

추동 - 활력 체계 : 도파민
진정 - 안정 체계 : 엔돌핀, 옥시토신
위협 - 보호 체계 : 편도체, 시상하부

- 캘리's 구성개념추론 11가지
  : 경.조.사. 조.개.구.이. 선.분. 공.범.

경험 : 새로운 경험에 대한 노출 강조 (끊임없는 수정, 변화)

조절 : 새로운 경험에 대한 적응 (침투성에 의한 투과 여부 결정)

사회성 : 타인의 구성개념을 이해하여, 사회적 역할을 수행

조직화 : 구성개념 유사성/차이성에 따라 체계적으로 배열

개별성 : 사건 해석에 대한 개인차를 강조

구성개념 : 반복되는 사건들 간 유사성 때문에 예언이 가능

이분법 : 구성개념 체계는 이분법적 구성개념들로 구성됨

선택 : 대안적 구성개념들에 대한 선택의 자유를 강조

분열 : 개인 내에 모순된 하부 구성개념을 가질 수 있음

공통성 : 사람들이 사건을 해석하는 유사성을 설명

범위 : 구성개념을 적용 가능한 사건은 유한함 (편의성 범위)

- 고정역할 치료 3단계
  : 자-성. 묘.시.

자기성격묘사
고정역할묘사
고정역할시연

- 기대-강화가치 모델 구성요소
 : **강.기.심.행.**

강화가치 / 기대
(심리적 상황) / 행동잠재력

- 로터's 기대의 종류
 : **자.결. 순서.**

자극의 명명 (단순한 인지)
행동 강화 결과에 대한 기대
강화순서에 대한 기대

- 미셸's 인지-정서 처리체계 구성요인
 : **부.정. 목.기. 인.자.**

부호화 방략 / 정서
목표와 가치 / 기대와 신념
인지 및 행동 역량 / 자기조절 계획

- 반두라's 상호결정론
 : **PEB시**
(반두라 씨. PEB(펩)시 콜라 마셔.)

(P)개인 / (E)환경 / (B)행동

- 관찰학습의 과정
 : **주.기.재.동.**

주의집중 / 기억 / 재생 / 동기화

- 자기효능감의 원천
 : **성.대.언.정.**

성취경험 / 대리경험
언어적 설득 / 정서적 각성

- 동기화 수준의 결정 요인
 : **피.시. 효능.** (PC 효능)

피드백 / 목표 달성에 걸리는 시간
효능기대(자기효능감)

- 자기조절 과정
 : **자.판.기.** cf) 자기관리는 목.자.평.강.

자기관찰 / 판단과정 / 자기반응

- 프로이트's 신경증적 불안 발생과정
 : **내.처.객.억. 붕.파.신.**

내적충동 → 외적 **처**벌과 위험
→ **객**관 불안 → 충동 **억**압
→ **억**압의 부분적 **붕**괴
→ **충동파**생체 출연 → **신경증적 불안**

- 아들러's 열등 콤플렉스 원천
 : **양.관.잉.**

양육태만 / 기관의 결함(신체적 열등감)
과잉보호

- 아들러's 생활양식
  : **지.사.기.회.**

지배형 / 사회적 유용형
기생형(획득형) / 회피형

- 아들러's 보호기제
  : **변.철.공.**

변명 (Yes, But~)
철회 / 공격성 (자기비난 포함)

- 융's 대표적 원형
  : **그. 자.페.아.**

그림자 / 자기 / 페르소나
아니마 + 아니무스

- 호나이's 자아보호기제
  : **애-사. 복종. 힘 성취. 철회.**

애정과 사랑의 확보 / 복종
힘 성취 / 철회

- 호나이's 자만체계 구성
  : **당. 신- 자.주. 짜-증.**

당위성의 횡포 / 신경증적 자만 /
신경증적 주장 / 자아증오

- 신경증 경향성
  : **순.공.고.**

순응형 : **애.인.지.**
(애정, 인정, 지배적 파트너 욕구)
공격형 : **특.존. 힘. 성. 착취.**
(특권, 존중, 힘, 성취, 착취 욕구)
고립형 : **생.완.자.**
(생의 편협한 제한, 완전 자아충족 욕구)

- 호나이's 아동의 적개심 억압 이유
  : **무.두.사.죄.**

무기력 / 두려움 / 사랑 / 죄의식

- 설리번's 대인관계 이론 기본 개념
  : **대.자. 경.방.**

대인관계
자기체계 (좋은 나, 나쁜 나, 나 아닌 나)
경험양식
성격의 방어

- 경험 식 3가지 + 성격의 방어 3가지
  : **원.병.통. + 해리. 병.승.**

원형적 / 병렬적 / 통합적 경험

  \+ 해리 / 병렬적 왜곡 / 승화

- 머레이's 욕구의 유형
  : 일.이. 반.발.

일차적 / 이차적 / 반응적 / 발생적

- 욕구의 원리
  : 우.융.보.갈.

우세성 / 융합 / 보조 / 갈등의 원리

- 머레이's 콤플렉스의 발달단계
  : 폐.구.항. 요.성.

폐소 / 구강 / 항문
요도(이카루스) / 성기

- 프롬's 도피기제
  : 자-동. 파괴. 권.
     (자동차 파괴범 이건희)

자동적 동조 / 파괴성 / 권위주의

- 프롬's 성격유형
  : 수.착. 저.시.생.

수용 / 착취 / 저장 / 시장 / 생산 지향

- 매슬로우's '존재와 성숙'의 경험
  : 절.고.

절정경험 / 고원경험

- 충분히 기능하는 사람의 성격특성
  : 개.창.자. 충.신.

→ 개인지향검사(POI)로 '자아실현의
정도' 측정 가능.

경험에 대한 개방성
삶을 창조하는 창조성
자유롭게 선택한 삶
매순간 충실한 삶 (실존에 가치)
스스로를 신뢰

- 제임스's 자기개념
  : 제임스는 물.정.사.

물질적 / 정신적 / 사회적 자기

- 엡스테인's 개념체계
                (인지-경험적 자기이론)
  : 합.경.연.

합리적 (의식)
경험적 (전의식)
연상적 (무의식)

- 히긴스's 자기불일치에 따른 정서
  : 이-타 = **수치심** / **의-자 = 죄책감**

실제자기 - 이상적 타인
  = 수치심 + 당황
실제자기 - 의무적 자기
  = 죄책감 + 경멸

- 샐로비, 메이어's 정서지능의 영역
  : **지.사. 이.관.**

정서 지각 / 사고 촉진에 정서 활용
정서 이해 / 정서 관리

- 네프's 자기자비의 하위개념
  : **보.친. 마.**
  (길버트's 자비초점적 치료 관련)

인간보편성 / 자기친절 / 마음챙김

- 드웩의 암묵적 신념 모형
  : **무.실.수.** vs **숙.증.학.**

무력감 스타일 / 실체 이론 / 수행목표
숙달지향 스타일 / 증진 이론 / 학습목표

- 와이너's 귀인의 차원 3가지
  : **소.통.안.**

원인의 소재 / 통제 가능성 / 안정성

- 학습된 무력감의 발생 요인
  : **반.반.**

반응이 결과를 통제 못할 거라는 예측
통제되지 않았던 경험의 반복

- 데시, 라이언's 내재적 동기 구성
  : **유.자.관**

유능성 / 자율성 / 관계성

- 자기결정성 이론 中 유기체 통합
  : 무동기~내재동기 + 그 사이의 **외.내.확.통.**

무동기 / 외적 조절동기
내사된 조절동기 / 확인된 조절동기
통합된 조절동기 / 내재동기

- 인과지향성 이론's 동기적 지향성 구분
  : **무.통.자.**

무동기 지향성 / 통제 지향성
자율 지향성

- 칙센트미하이's 플로우 촉진 요인
  : **목.과.피.**

분명한 목표
과제 난이도와 기술 수준의 균형
즉각적 피드백

제2장 상담이론

- 상담의 기본 원리
 : 개. 의.수. 비.통. 자.비.

개별화의 원리
의도된 감정표현 / 수용
비심판적 태도 / 통제된 정서적 관여
자기결정 / 비밀보장

- 비밀보장의 원칙 예외
 : 법.전. 아.미. 사.자.

법원 명령
전염병
아동학대 (방치 포함)
미성년자 상담 : 보호자 요청 있을 때
사회 안전 위협 의도
자살/자해 의도

- 통합상담의 유형
 : 공.기.흡.이.

공통요인 이론
기법적 절충 (BASIC-ID 포함)
흡수통합 접근
이론적 통합 (웬만한 거 전부 여기)

- 알로's 정신분석 상담 과정
 : 초.전.훈.해

초기 / 전이 / 훈습 / 해결 (해석X)

- 원인에 따른 저항의 종류
 : 전이. 2.억.원. 초.

전이 저항
2차이득 저항 / 억압 저항
원초아 저항 / 초자아 저항

- 해석의 종류
 : 명.비.소.

명료화 해석 / 비교 해석 / 소망방어 해석

- 정신분석 상담 기법
 : 해.훈. 버.자. 꿈. 전.통.

해석 / 훈습 / 버텨주기 / 자유연상
꿈 분석 / 전이 분석 / 통찰

- 부적응/비행 행동의 발생과정
 : 주. 힘. 복.부 (주로 힘 주는 곳 복부)

주의끌기 / 힘겨루기 / 복수 / 부적절

- 아들러 상담과정
 : 관.생.통.재.

관계 형성 / 생활양식 탐색
통찰 및 해석 / 재정향

- 생애사 질문지로 탐색하는 내용
 : 구. 초. 꿈. 우선순위.

가족구도 / 초기기억 / 꿈 / 우선순위

- 생활양식에서 우선순위 욕구
 : 우.편.통.쾌.

우월 욕구 (삶의 무의미감 피하기)
편안함 (스트레스 피하기)
통제 (복종이나 굴욕감 피하기)
쾌락 욕구 (거부 피하기)

- 아들러 상담 주요 기법
 : 격려. 수.단. 과.자. 즉. 악.마.질

격려 / 수프에 침 뱉기 / 단추 누르기
과제 부여 / 자기포착(자기간파) / 즉시성
악동 피하기 / 마치 ~인 것처럼 행동
질문 기법

- 아들러 상담 ÷ 질문기법
 : 순.반.전.

순환질문 / 반사질문 / 전략질문

- 융 분석심리학 상담과정
 : 고.명. 교육. 변형

고백 / 명료화 / 교육 / 변형

- 융 분석심리학 상담기법
 : 상.사. 적.단 확.증.

상징 분석 / 사례사
적극적 상상 (능동적 심상)
확충법 / 증상 분석

- 실존적 세계의 4가지 차원
 : 물-자. 사회-인. 심-자. 영-초.

물리적 차원 - 자연세계
사회적 차원 - 인간세계
심리적 차원 - 자기세계
영적 차원 - 초월세계

- 실존적 조건 4가지
 : 죽.자.고.무.

죽음 / 자유 / 고독 / 무의미

- 죽음 공포에 대한 방어기제
 : 궁.특.

궁극적 구조자 / 특수성

- 선택의 자유 회피를 위한 방어기제
 : 소.결.

소망차단 / 결심회피

- 얄롬's 고독(소외)의 유형 3가지
  : 대.개.실.

대인관계적 소외 / 개인내적 소외
실존적 소외 (실존적 고독)

- 프랭클's 무의미 관련 증상의 유형
  : 공.신.

실존적 공허 / 실존적 신경증

- 삶의 의미를 부여하는 방법 3가지
  : 창조. 경.태.

창조적 가치 / 경험적 가치 / 태도적 가치

- 실존불안(정상불안)의 특징
  : 부.억.용.딜. (부엌용달 느낌으로)

부합됨 (직면하고 있는 상황에)
억압할 필요 없음
존재의 용기 : 신경증적 불안 → 실존 불안
실존적 딜레마에 직면할 기회

- 프랭클's 초월적 실존주의 상담
  : 삶의 - 의미의 - 의지의 - 자유.

삶의 의미 / 의미에의 의지 / 의지의 자유

- 메이's 실존적 발달모델 순서
  : 순.반.결.관.창.

순수 / 반항 / 결정 / 관습 / 창조

- 실존치료 기법
  : 호! 암.자. 역.자. 탈.태. 했다.

호소기법 (의지의 암시 / 의지의 자율)
역설적 의도 / 자유연상 / 탈숙고
태도 수정 (논증 / 긍정적 암시 / 단순한 술책)

- 부버's 실존적 대화의 조건
  : 현.포   → 현전 / 포함

- 징커's 알아차림 - 접촉 추기
  : 물.감.알.에. 행.접.

물러남 - 감각 - 알아차림 - E 동원
- 행동 - 접촉

- 현상 알아차림의 종류
  : 신.상. 감.상. 환.관. 욕.

신체감각 / 상황 / 감정 / 상(이미지)
환경 / 관계 / 욕구

- 접촉의 종류
  : 자.대.환.   (소외 종류랑 혼동 X)

자기 자신과의 접촉
대인관계 접촉
환경과의 접촉

- 게슈탈트 성격 변화의 단계
  : 피.공. 교.내. 폭발.
    (피구 공이 교내에서 폭발)

피상층 → 공포층 → 교착층
→ 내파층 → 폭발층

- 접촉경계 혼란의 종류
  : 내.편. 투사. 융.자.반.

내사 / 편향 / 투사 / 융합 / 자의식 / 반전

- 게슈탈트 성격 단계 + 접촉경계 혼란
  : 공-내. 교-편. 내-반.

공포층(연기층)은 내사가 많고
교착층은 편향이 많고
내파층은 반전이 많음

- 게슈탈트 상담 기법
  : 현.머.과장. 알아? 실직. 반대. 빈.창.자.

현재화 / 머물러있기 / 과장하기
알아차리기 / 실연(역할연기) or 실험
직면 / 반대로 하기 / 빈 의자
창조적 투사 / 자기 부분과의 대화

- 체계적 둔감법 순서
  : 이.위.둔.

이완훈련 → 불안위계 작성 → 둔감화

- 행동계약의 요소
  : 표적. 유관. 이행. 측.시.

표적행동 확인
강화나 벌의 유관 확인
유관 이행할 사람 확인
표적행동 측정 방법 진술
행동 수행 시기 진술

- 행동주의's 강화기법 적용을 위한
  강화의 원리
  : 일.점. 즉시강화.

일관성의 원리 / 점진적 접근
즉시 강화의 원리

- 손 다이크's 자극-반응 결합이론
  : **연.준. 효과.** (기본법칙 3가지)

연습의 법칙 / 준비성의 법칙
효과의 법칙

- 긍정적 행동 지원에서 기능분석 내용
  : **배.선.행.반.**

배경사건 - 선행사전
- 문제행동 - 후속반응

- <u>행동기술훈련 구성요소 및 절차</u>
  : **교.모.시.피.**

교수(지도) - 모델링 - 시연 - 피드백

- 자기표현 훈련에서 의사소통 유형
  : **소.공.자.**

소극적 / 공격적 / 자기표현적(자기주장적)

- 자기관리 전략의 단계
  : **목.자.평.강.**
       cf) 반두라 자기조절 = **자.판.기.**

목표설정 - 자기관찰
- 자기평가 - 자기강화

- 자기관리 프로그램 요소
  : **관.계.통.보.** (자기관리 촉진 기법)

자기관찰 / 자기계약
자극통제 / 자기보상

- 마이켄바움's 자기지시 훈련 단계
  : **'인.모'로 시작 + '내.자'로 끝남.**
              (중간에는 '외.지' 3가지)

인지적 모델링 / 외적 지도
외적 자기지도 / 외적 자기지도의 감소
내적 자기지도

- (일반적인) 자기교수 훈련 단계
  : **정.접. 강.평.**
         (정.탐.점.평. → ADHD 개입)

문제 정의 : 문제가 뭐지?
문제 접근 (문제탐색) : 어떻게 하지?
주의집중 및 자기강화 (자기점검)
                : 어떻게 하고 있지?
자기평가 : 잘 했나?

- REBT 비합리적 사고의 구성요소
  : **낮.비.과.당.**

(좌절에 대한) 낮은 인내
인간비하적 사고
과장적 사고 / 당위적 사고

- REBT 비합리적 사고의 수준
 : 자.추.평.도.

자동적 사고 / 추론과 귀인
평가적 인지 / 도식 (핵심인지)

cf) 아론 벡's 인지의 수준

자동적 사고 / 중간믿음
핵심믿음 / 인지도식

- 앨리스 REBT 상담과정
 : C - 목표 - A - B·C교육
           - B - (C빼고) D - E

부적절한 정서 및 행동 결과를 탐색
상담 목표 설정 (결과적 / 과정적)
선행사건 명료화
정서·행동적 결과, 사고 간의 관계 교육
사고(B)의 탐색과 과정적 목표 설정
논박을 통해 사고 바꾸기
바뀐 생각에 따른 정서·행동적 결과 확인

- 합리적 정서행동치료 (REBT) 기법
 : 합-정. 역. 소.방.수. 유머. 대처.

합리정서 심상법 / 역설적 과제
소크라테스식 대화법
자기 방어의 최소화 / 수치심 공격하기
유머 / 대처진술 숙달

- (긍정적) 합리정서 심상법 절차
 : 최.상. 건.노.유. 좋.결.

최악의 상태를 상상
+ 그 상황의 느낌을 탐색
부정적 느낌을 건강한 정서로 바꿔보기
노력 어떻게 했는지 탐색
합리적 사고 유지를 위해 어떤 노력할지
좋은 것과 싫은 것 탐색 + 결론 제시

- 논박의 종류
 : 논.경.철.기.

논리적 / 경험적 / 철학적 / 기능적

- 아론 벡's 인지적 오류 종류
 : 개.이. 선.임.의. 일.정. 잘.파.

개인화 / 이분법적 사고 / 선택적 추상화
임의적 추론 (독심술 + 부정적 예언)
의미 확대 및 의미 축소
과잉일반화 / 정서적 추론
잘못된 명명 / 파국화

- (역기능적 사고) 일일기록지 구성
 : 일.상. 감.자. 대.결.

일시 / 상황
감정(정서) / 자동적 사고
대안적 반응 (합리적 반응) / 결과

- 벡 인지치료 상담기법
 : 역.삼. 화.증.실.인.대.
   기.계. 도전. 사고. 중지. 탈.탈.

인지적 - 감정적 역할연기
삼단논법 (증.다.예상결과)
하향화살표 / 증거탐문 / 행동실험
인지시연 / 대처카드
역기능적 사고 일일기록지
활동계획표 / 절대성에 도전
사고표집 / 사고중지
탈중심화 / 탈파국화

- 마이켄바움 인지행동수정 中
                 행동변화법 3단계
 : 자.내. 새로운 기술 학습. (시작해 볼텐가?)

자기관찰
(새로운) 내적 대화의 시작
새로운 기술 학습

- 스트레스 예방훈련(SIT) 단계
 : 개. 기-시. 적?

개념적 단계
기술 획득과 시연
적용과 수행

- 현실치료 인간의 기본 욕구
 : 힘.생. 재.자. 사랑.

힘과 권력 / 생존 / 재미 / 자유 / 사랑

- 질적 세계 사진첩에 담긴 내용
 : 인.생.사.

사람 / 생각(신념) / 사물

- 성공적 정체감의 3가지 특성 (3R)
 : 라.리.리

옳고 그름 (right and wrong)
현실 (reality)
책임 (responsiblity)

- 전체행동 (전행동) 구성
 : 활.생.느.생.

활동하기 / 생각하기 / 느끼기 / 생리반응

- 교류분석 상담의 목표
 : 자율성? 각.자. 친밀.

자율성 = 각성 + 자발성 + 친밀성 회복

- 구조의 욕구 (시간 구조화) 종류
 : **폐.친. 소.게. 동.의.**

폐쇄(철수) / 친밀성 / 소일 / 게임
활동 / 의식

- 각본 매트릭스 별 각본 메시지
 : **대.프.금.** (데프콘 대신)

P-P : 대항금지령
A-A : 프로그램 메시지
C-C : 금지령과 허용

- 게임분석에 있어 게임의 특징
 : **반복. 놀.라. 어.이.**

반복적으로 진행
놀라움과 혼동의 순간 포함
라켓감정 체험
어른자아(A) 모르는 사이에 나타남
이면 교류에 해당

- 카프만의 드라마 삼각형
 : **구.박. 희생자.**

구원자 / 박해자 / 희생자

- 교류분석 분위기 조성 기법
 : **허용. 보. 잠.**

허용 / 보호 / 잠재력

- 교류분석 상담에서 게임 공식
 : **속.기. 반.전. 혼.결.**

속임수(C) → 기믹(약점) → 반응(R) →
전환(S) → 혼란(X) → 의외의 결말(P.O)

- 에누리(평가절하)에서 시작되는 게임
 : **에.그.불. 방.** (안에서) **폭발.**

에누리 → 그레이 스탬프 → 불만 증
대 → 방아쇠 → 폭발 (스탬프 청산) →
not-OK (인생태도)

- 마음챙김의 특성과 요소
 : 특성 = **즉시. 대.들.보.**
  + 요소 = **알.명.수. 집중.**

즉시성 / 대상 조작 X
들뜨지 않음 / 보호함

+ 알아차림 / 명명
비판단적 수용 / 현재에 집중

- 변증법적 행동치료 마음 상태의 종류
 : 감.합.지. (강아지)

감정적 마음 / 합리적 마음 / 지혜로운 마음

→ DBT에서는 내장자가 불쾌한 감정을 자각하고 싶어하지 않기 때문에, 정서적 조절이 어렵다고 보았다.

- 변증법적 행동치료(DBT) 핵심기술
 : 고.대. 마.감.
   → 경계선 성격장애 치료에 활용

고통감내 / 효율적 대인관계
마음챙김 / 감정조절 기술

- 마음챙김 기반 인지치료 양식 종류
 : 행위양식 / 존재양식

- 수용전념치료(ACT) 과정
 : 수용. 인.맥. 현-머. 가.전.

수용 / 인지적 탈융합 / 맥락적 자기
현재에 머무르지 / 가치 / 전념적 행동

- 수용전념치료(ACT) 상담과정 구분
 : 마음챙김과 수용 / 전념과 행동변화

  → 현재에 머무르기, 맥락적 자기는
두 과정에 모두 포함

[상담 이론 별 기법 정리]

- 정신분석 상담 기법
 : 해.훈. 버.자. 꿈. 전.통.

해석 / 훈습 / 버텨주기 / 자유연상
꿈 분석 / 전이 분석 / 통찰

- 아들러 상담 주요 기법
 : 격려. 수.단. 과.자. 즉. 악.마.질

격려 / 수프에 침 뱉기 / 단추 누르기
과제부여 / 자기포착(자기간파) / 즉시성
악동 피하기 / 마치 ~인 것처럼 행동
질문 기법

- 융 분석심리학 상담기법
 : 상.사. 적.단 확.증.

상징 분석 / 사례사
적극적 상상 (능동적 심상)
확충법 / 증상 분석

- 실존치료 기법
 : 호! 암.자. 역.자. 탈.태. 했다.

호소기법 (의지의 암시 / 의지의 자율)
역설적 의도 / 자유연상 / 탈숙고
태도수정 (논증 / 긍정적 암시 / 단순한 술책)

- 게슈탈트 상담 기법
  : **현.머.과장. 알아? 실직. 반대. 빈.창.자.**

현재화 / 머물러있기 / 과장하기
알아차리기 / 실연(역할연기) or 실험
직면 / 반대로 하기 / 빈 의자
창조적 투사 / 자기 부분과의 대화

- 합리적 정서행동치료(REBT) 기법
  : **합-정. 역. 소.방.수. 유머. 대처.**

합리정서 심상법 / 역설적 과제
소크라테스식 대화법
자기 방어의 최소화 / 수치심 공격하기
유머 / 대처진술 숙달

- 벡 인지치료 상담기법
  : **역삼 화증.실인대. 기계. 도전**
    사고 중지. 탈탈.

인지적 - 감정적 역할연기
삼단논법 (증.다.예상결과)
하향화살표 / **증거탐문** / 행동실험
인지시연 / 대처카드
역기능적 사고 일일기록지 / 활동계획표
절대성에 도전
사고표집 / 사고중지
탈중심화 / 탈파국화

- 교류분석 상담 분위기 조성 기술
  : **허용. 보. 잠.**

허용 / 보호 / 잠재력

- 변증법적 행동치료(DBT) 핵심기술
  : **고.대. 마.감.**

고통감내 / 효율적 대인관계
마음챙김 / 감정조절 기술

[가족상담 기법]

- 대상관계 가족상담 이론의 상담 기법
  : (대상은) **공.지.안.해.**

공감 / 지탱(버텨주기)
안전한 환경 제공 / 해석

- 보르조르메니~'s 맥락적 가족상담 기법
  : **자기타당. 편.해.**

자기타당 / 다각적 편파성 / 해방

- 보웬's 다세대 가족상담 기법
 : **초.삼. 코.입. 치.과. 대.관.**
 → 초3이 코, 입 성형하려고 치과 대관

자신에게 초점 맞추기 / 탈삼각화
코칭 기법 / 나의 입장 기법
치료적 삼각관계 / 과정질문
다른 가족 이야기로 대치 / 관계실험

- 경험적 가족상담 기법
 : **빙산. 구.조. 은.재.역?**

빙산기법
가족 재구조화 / 가족 조각
은유 기법 / 재정의 / 역할극

- 미누친's 구조적 가족상담 中
                '상호작용 합류' 기법
 : **유.모.추.**

유지 / 모방 / 추적

- 구조적 가족상담 '교류 재구조화' 기법
 : **강.증.**(이가) **긴. 체.신.경. 균형 깨-.**

강조 기법 / 증상 활용(증상의 초점화)
긴장 고조 기법 / 체계의 재편성
가족 신념에 도전 / 경계선 설정
균형 깨뜨리기

- 헤일리's 전략적 구조주의 모델 기법
 : **고.은.위. 지.역.**

고된 체험 기법
은유적 과제 / 위장기법
→ 마다네스의 비유와 가장 기법에 해당
지시기법 / 역설적 개입

- 밀란's 체계적 모델 기법
 : **불.순. 의.부. (가.)**

불변처방 / 순환질문 / 의식기법
긍정적 의미부여 (+ 가설설정)

- 해결중심 상담의 질문 기법
 : **예.전. 간.보.대. 관.악.기. 척!**
 → (예전에 간호보건대에서 관악기 척!
 갖다줘서 해결.)

예외 질문 / 상담 전 변화에 관한 질문
간접적인 칭찬 / 보람 질문 / 대처 질문
관계성 질문 / 악몽 질문 / 기적 질문
척도 질문

- 내러티브 모델 가족상담 과정/기법
 : **외.독.재. 회.정.치.**

문제 외재화 / 독특한 결과 찾아내기
재저작 / 회원 재구성 / 정의예식
치료적 문서(편지) 활용

[특수아 상담, 이상심리 기법]

지적장애 : **직.기.자.**
　→ *직접교수법, 기능적 교육과정, 자기결정기술*

특정학습장애
　→ *능력-성취 불일치 접근, 중재반응 접근법*

주의력 결핍, 과잉행동 장애 : **인.생. 5단계.**
　→ *인지행동훈련 (언어적 자기지시 훈련), 생각말하기 훈련, 자기조절 5단계 생각법*

자폐 스펙트럼 장애 : **티.패.응.껴.**
　→ *응용행동분석, TEACH 프로그램, 패터닝 치료*

틱 장애
　→ *습관반전훈련, 집중실행, 인지행동훈련*

양극성 관련 장애
　→ *대인관계 및 사회적 리듬 치료*

지속적 우울 장애
　→ *행동활성화(BA) 치료*

범불안장애
　→ *걱정사고 기록지, 마음챙김, 수용전념치료(ACT)*

선택적 함구증
　→ *자기모델링*

강박장애
　→ *노출 및 반응방지법, 사고중지*

외상 후 스트레스 장애 (PTSD)
　→ *심리적 사후보고, 스트레스 접종훈련, 지속적 노출법, 안구운동 둔감화 및 재처리 치료*

[DSM-5 (이상심리) 12개월 시리즈]

- 틱 장애, 뚜렛장애 (1년)
- 순환성 장애, 지속성 우울장애 (아동 · 청소년이 1년)
- 파괴적 기분조절부전장애 증상 (12개월 지속)
- 품행장애 증상 (12개월 동안 3개, 지난 6개월은 1개)
- 간헐적 폭발성~ : 폭발적 행동 (12개월 이내에 3회)

[DSM-5 (이상심리) 3개월 시리즈]

- 파괴적 기분조절부전장애 : 무증상 기간 (3개월 이내)
- 적응장애 : 스트레스 요인 시작 후~ (3개월 이내)
- 신경성 식욕부진증, 신경성 폭식증, 폭식장애
- 간헐적 폭발성 장애 : 공격성이 주 2회 (3개월 동안)

[DSM-5 (이상심리) 1개월 시리즈]

- 조현병 : 지속적 징후 6개월 中 활성기 (최소 1개월)
- 자폐 스펙트럼 + 조현병 추가 진단 : 다른 증상 + 망상, 환각 (최소 1개월)
cf) 조현정동장애 = 삽화없이 존재하는 망상, 환각 2주 이상

- 공황장애 : 예기불안 (1개월 이상)
- 선택적 함구증
- 외상 후 스트레스 장애 : 핵심 증상 (1개월 이상)
- 급성 스트레스 장애 (3일 ~ 1개월)
- 이식증, 되새김장애

제3장 상담실제 및 학교상담

- 구조화의 원칙
 : **최. 처. 시-행-구.**

구조화는 최소화 / 처벌하는 식 X
시간과 행동규범은 구체적으로

- 구조화의 영역 3가지
 : **여.관.비.**

상담 여건 / 상담관계
비밀보장에 대한 구조화

→ 그래서 구조화의 의미 또한 상담
여건, 관계, 한계(비밀보장)에 대하여
내담자와 합의하는 오리엔테이션.

- 사례개념화 과정
 : **호. 촉. 유. 진.**

주 호소문제 구체화
촉발 요인 구체화
유지 요인 구체화
사례개념화 진술문 작성

- 상담계획서의 구성요소
 : **공.시.절. 대.수.**

공간 / 소요시간 / 절차 / 대상 / 수단

- 상담계획 수립 단계
 : **성.치. 측정. 문서.**

성취 가능한 목표 설정 / 치료 방법 결정
변화 측정방법 선정 / 상담계획 문서화

- 구체화 작업에 필요한 질문
 : **평-소. 사.내.**

언행과 생각에 대한 스스로의 평가, 소망
사건에 대한 내용들
내면의 흐름과 생각

- 프로체스카 내담자 변화과정
 : **쑥.쑥. 준.행. 유.종.**

숙고 전 / 숙고 / 준비 / 행동 / 유지 / 종결

- (상담 중기 단계) 인지 타당성 평가 기법
 : **A-FROG**

Alive / Feel / Reality
Others(유용성) / Goals(유능성)

- 코마이어's 적극적 경청의 반응 양식
 : **명. 바꾸. 반. 요.**

명료화 / 바꾸어 말하기 / 반영 / 요약

- 재진술의 방법(유형)
  : **명. 바꾸. 반. 요.**

명료화 / 바꿔 말하기(환언) / 반복 / 요약

- '왜' 질문의 문제점
  : **왜.**(는) **사.방.**(에 있다)

감정보다는 사고(인지)에 초점
방어적 태도를 유발

- '반영'의 효과
  : **이.자. 감.정.**

이해받는 느낌 / 자기개방 수준 심화
감정 변별에 도움
자신의 정서를 새롭게 인식

- '명료화' 사용 시기
  : **투사. 구.이.**

상담자가 이해한 대로 내담자에게 투사 방지
구체적으로 말하도록 도울 때
이해한 것이 명확한지 확인할 때

- 이건's 즉시성의 유형
  : **여.관.**

지금 - 여기 즉시성 / 관계 즉시성

- '즉시성'의 사용시기
  : **전.방. 신.흥. 거.지.**

전이 또는 역전이 나타날 때
방향 잃었을 때
내담자가 신뢰감을 안 보일 때
흥미 줄어들 때
심리적 거리감 느껴질 때
지나치게 의존할 때

- '자기개방'의 효과
  : **보.부.상.**

보편성 / 상담자에 대한 부정정서 감소
상담관계 형성을 촉진

- '요약'의 효과
  : **정.철.조.**

생각과 느낌 정리
특정 주제 철저히 탐색
새로운 조망이나 대안적 틀 제공

- 중다양식 치료(BASIC-ID) 주요 개념
  : **양.구. 중.개. 다.추.**

양식 프로파일 / 구조 프로파일
중다양식 생애사 검사
주문형 맞춤 치료 (bespoke therapy)
다리놓기 / (점화순서) 추적하기

- 심리극 구성요소
 : **주.연. 보조. 무.관.**

주인공 / 연출자 / 보조자아 / 무대 / 관객

- 심리극 주요 원리
 : **창.자.즉. 잉.텔.참.**

창조성 / 자발성 / 즉흥성
잉여현실 / 텔레 / 참만남

- 심리극 진행 단계
 : **워.행. 나.과.** (뭐행? 나가!)

워밍업 → 행동(실연) → 나누기(종결)
→ 과정분석

- 심리극 기법
 : **마.력. 거.미. 이중. 독.**

마술 상점 기법
역할 훈련 or 역할 바꾸기
거울 기법 / 미래 투사
이중자아 기법 / 독백

- 조하리의 창 4가지 영역과 소통 유형
 : **공.비.맹.미. + 개.신.주.고.**

공개 / 비밀 / 맹인 / 미지 영역
+ 개방형 / 신중형 / 주장형 / 고립형

- 동기강화상담(MI)의 정신
 : **수.협. 연.유.**

수용 / 협동정신 / 연민 / 유발성

- MI 정신에서 '수용'의 4가지 의미
 : **절.인. 정.자.**

절대적 가치 / 인정
정확한 공감 / 자율성

- 변화대화
 : 변화 준비언어는 **열.능.이.필.**
   변화 실행언어는 **결.활.실.**

열망 / 능력 / 이유 / 필요
결심 공약 / 실행 활성화 / 실천

- 동기강화상담 초기 상담기술 OARS기법
 : **열.인. 반.요.**

열린 질문 / 인정 / 반영적 경청 / 요약

- MI의 원리
 : **공.불.자. 구르기**

공감 표현 / 불일치감 만들기
자기효능감지지 / 저항과 함께 구르기

- 동기강화상담 단계
  : 관. 초. 유. 계.

관계 형성 → 초점 맞추기 → 유발 →
계획하기

- 유발하기 단계의 과업
  : 변화대화를 통한 양가감정의 해결
    → 내면의 변화 동기를 유발

변화대화 : OARS로 변화 대화를 강화
유지대화 : 반영을 통해 불협화음 예방

- 종합적 학교상담 모델's 내용 영역
  : 진.학.사.

진로 발달 / 학업 발달 / 사회성 발달

- 종합적 학교상담 모델의 프로그램 요소
  : 개.학. 반.체.

개별계획
학교상담(생활지도) 교육과정
반응적 서비스
체제지원

[ASCA (미국학교상담자협회)]

- 학교상담교사의 조력과정 3가지
  : 상.자.코.

상담 / 자문(컨설팅) / 코디네이팅(조정)

- 국가모델 구성요소 (영역)
  : 기.운.전.책.

기초 / 운영체제 / 전달체제 / 책임

- 학교상담자의 역할, 특성
  : 체.리.협. 옹호.

체제변화 / 리더십 / 협력 / 옹호

- 청소년기 위기 유형 4가지
  : 발.상. 실.환.(가)

발달적 / 상황적 / 실존적 / 환경적

- 위기의 단계 (위기에 대한 반응의 국면)
  : 충.대.철.

충격 (투쟁-도피반응 두드러짐.)
대처 (스트레스 대처 방식 관련~)
철수 (자발적 / 비자발적 유형의 철수 행동)

- 위기상담의 목표
  : 정.관.수.술.

위기반응에 대한 정상성 이해
관점의 변화 / 수용, 감정 인식
대응기술 개발

- 위기 상담 1단계의 과업 3가지
  : 문.안. 지지.

문제 정의 (내담자 관점에서)
안전 보장 (조건 없는 돌봄)
지지 제공 (문제나 감정 표출하게끔)

- 재난 후 반응 단계 (특징, 심리적 개입)
  : 충.반.회.재.

충격 : 투쟁-도피 반응, PFA 필요
반응 : 선별(트리아지) 작업 필요
회복 : 침습적인 기억 경험
재통합

- PFA(심리적 응급처치)의 8가지 핵심 활동
  : 관.안.정. 정.문. 사.대.기.

관계 형성 / 안전에 대한 확인
심리적 안정화 / 정보 수집
실제적인 문제 해결 지원
사회적 지원체계와의 연계
대처 방법 관련 정보 제공
연계 기관 안내

- 심리적 소진(burn out)의 이유
  : 부.모. 갈등. 불.고.자.

역할 과부하 / 역할 모호성 / 역할 갈등
불합리성 / 고립 / 자율성

- 소진의 단계
  : 열.침.좌. 무감각.

열정 / 침체 / 좌절 / 무감각(소진)

- 청소년 자살의 유형
  : 이중. 결.제.

이중 감정형 / 결단 신중형 / 제스처형

- 바움에이스터's 자살에 대한 통합적 접근
  : 자기로부터의 도피 수단
    + 인지적 몰락의 결과

- 청소년 자살 단서
  : 직.간. 행.상.

직접적 언어적 단서
간접적 언어적 단서
행동적 단서 / 상황적 단서

- 자살 위험성 평가 항목
 : **생.계.의. 보.험.**

자살 생각 / 자살 계획 / 자살 의도
보호 요인 / 위험 요인

- 자해의 동기, 기능
 : **사.분. 정.자.**

사회적 관심 / 분리감 감소
정서 완화 / 자기처벌

- 인터넷 중독 증상
 : **금.일.내 / 일탈. 현.자.가.**

금단 / 일상생활 장애 / 내성 / 일탈
현실구분 장애 / 자동적 중독 사고
가상세계 지향성

- Young's 가상세계 특징 (ACE)
 : 익명성(A) / 편리함(C) / 현실 탈출(E)

- 스마트폰 중독 증상
 : **금.일.내 + 가.**

금단 / 일상생활 장애 / 내성
가상세계 지향성

- 스마트폰 과의존 3가지 요인
 : **현.조.문.**

현저성 / 조절 실패 / 문제적 결과

- 컨설팅 모형 종류
 : **정.조. 행동. 과.해.**

정신건강 모델
조직발달 모델
 → 조직 구성원들의 효율성 증진
행동주의 모델
 → 정신건강 모델보다 많은 통제권
과정 모델
 → 조직의 체제, 의사소통 방식에 초점
해결중심 모델
 → 원인 말고 문제 해결 경험에 초점

- 컨설팅 모형별 컨설팅 과정

조직발달 모델
 : 욕구측정 → 교육활동 계획 수립,
실행 → 평가

행동주의 모델
 : 문제정의(이때 세부목표 정함) →
문제분석 → 계획 실행 → 평가

해결중심 모델
 : 회기전·초기구조화 → 목표설정 →
시도된 해결방안 및 예외 상황 탐색
→ 해결방안 결정 돕기

의뢰 전 (일반적인) 고려사항
 : 최.준.협.

최선의 선택임을 설명 (학생의 복지를 위한)
학생(내담자)의 준비 정도 평가
의뢰 기관에 적극 협조

- 키치너의 윤리원칙
 : 충.무.공. 의.자.

충실성 / 무해성 / 공정성
선의 / 자율성 존중

- 비밀보장 원칙의 예외
 : 법.전. 아.미.사.자.

법원의 명령 / 전염병 / 아동학대
미성년자 상담 시, 보호자의 요청
사회적 안전 위협 / 자살 혹은 자해

- 반 후즈's 윤리적 행동의 발달 단계
 : 처.키. 사.개.의.

처벌 지향
기관 지향 (소속 기관의 규칙 준수)
사회 지향 (사회적 요구를 우선시)
개인 지향 (개인에게 최선인 것에 초점)
의식 지향 (내면화된 윤리 기준)

- 콜버그's 도덕성 발달 단계
 : 처.쾌.는 착한 인형이라 사회질서를
잘 지켜 계약 맺고 보편적 도덕 캠페인
에 참여.

처벌 - 복종 지향
개인적 쾌락주의 지향
착한 소년 · 소녀 지향
사회질서 지향
사회 계약 지향
보편적 도덕원리 지향

- Young's 심리도식 치료 도식의 종
 류 5가지
 : 자.수. 한.경. 단.타.

손상된 자율성 및 손상된 수행
손상된 한계 : 타인 권리 존중 X
과잉경계 및 억제 : 완벽주의, 예절 집착
단절 및 거절 : 유기 불안, 불신, 고립
타인중심성 : 복종, 승인 추구

제4장 아동 및 청소년 발달

- 신생아 원시 반사 종류
 : **빨.근. 모.잡.바.**

빨기반사 / 근원반사 / 모로반사
잡기반사 / 바빈스키 반사

- 아프가 척도 설명 : **2-3-4**

총 2회 실시
3점 척도(0,1,2) 사용
4~6점 : <u>호흡하는</u> 데에 도움 필요

- 피아제 전조작기 특징
 : **인.전.물.상.자.**
(전개념적 사고기 + 직관적 사고기)

인공론적 사고 / 전인과적 추론
물활론적 사고 / 상징적 사고 (가상놀이)
자기중심적 사고 (집단적 독백)

- 구체적 조작기 특징
 : **서.탈.유.보.**

서열화 / 탈중심화 / 유목포함 / 보존개념

- 보존개념 획득에 필요한 요소
 : **보.상.가.동.**

(보존개념) = 상보성 / 가역성 / 동일성

- 형식적 조작기 특징 (청소년기 느낌)
 : **이.명. 자.조.반. 추.가.**

이상주의적 사고 / 명제적 사고
자기중심성 / 조합적 사고 / 반성적 사고
추상적 사고 / 가설·연역적 사고

- 안나 프로이트's 청소년기의 방어기제
 : **금.주.**

금욕주의 / 주지화(지성화)

- 시글러's 중복파장이론
   (=적응적 전략 선택 모델)

- 신피아제 학파's 형식적 조작기 이후~
 : **알.문. 파.변.**

알린 : 문제 발견 단계
파스쿠알-레온 : 변증법적 사고 단계

- 언어발달 관련 키워드
 : **촘.언.보. 브.상.지.아. 전.과.3**

촘스키 : 언어습득장치 / 보편적 문법
브루너 : 상호작용이론 / 언어습득
        지원체계 / 아동대상화법
+ 전보식 어휘 / 과잉확장, 과잉축소
/ 과잉규칙화

- 아동의 언어발달 단계
 : **전.한. 두.유.** (진한 두유?)

전언어 단계
한 단어 단계 : 과잉확장, 과잉축소
두 단어 단계 : 전보식 어휘
유아기
유아기 이후 (4세 이후) : 과잉규칙화

- 나이서's 자기개념의 5가지 측면
 : **생.대. 확.사.개.**

생태적 / 대인관계적 / 확장된
사적 / 개념적 자기

- 마샤's 정체감의 범주
 : **혼.유. 유.성.**

정체감 혼미 / 유실 / 유예 / 성취

- 공동주의에 필요한 3가지 기초 능력
 : **보.조. 유도.**

타인이 특정 대상 보고 있음을 아는 능력
주의를 조절 (주의 변경)
타인의 주의를 유도

- 사회적 참조 구성하는 3가지
 : **행.공.이.**

행동 조절 / 공동주의 / 타인 정서 이해

- 그로스's 정서조절 전략의 범주
 : **상.주.평.반.**

상황 / 주의 / 평가 / 반응

- 토마스, 체스's 기질 유형
 : **순.반.까.**

순한 / 반응이 느린 / 까다로운

- 로스바르트's 모형에 따른 기질 차원
 : **의.외. 부-정.**

의도적 통제 / 외향성 / 부정적 정서성

→ 로스바르트는 반응성+자기조절의
   개인차로 기질을 정의.

- 클로닝거's 기질의 차원

새로움 추구 / 위험 회피
인내 / 보상의존성 (사회적 민감성)

- 볼비's 애착 형성 단계
 : **전.형. 애. 상-관.**

전애착 / 애착 형성
(분명한) 애착 / 상호 관계 형성

- 내적 작동 모델에 따른 애착의 유형
 : 안정형 / 무시형 / 몰입형 / 공포형

→에인스워스 실험에 따른 분류와 구분

- 피아제's 도덕성 발달 단계
 : **실.타.구. / 상.자.협.**

도덕적 실재론
= 타율적 도덕성 = 구속의 도덕성
도덕적 상대론
= 자율적 도덕성 = 협력의 도덕성

- 콜버그 도덕성 발달 단계
 : **처.쾌. 착한**(인형) **사회질서.**
   사회계약. 보편적 도덕(캠페인)

처벌과 복종 지향
개인적 쾌락주의 지향
착한 소년/소녀 지향
사회질서 지향
보편적 윤리원칙 지향

- 길리건's 도덕성 발달 단계
 : **생.선.비.**

개인적 생존 / 자기희생으로서의 선
비폭력 도덕성

- 아이젠버그's 도덕성 단계
             (친사회적 도덕추론 능력)
 : **쾌.뇨. 승.자.내.**

쾌락주의적 지향
요구-기반 지향
승인과 고정관념 지향
자기반영적 공감 지향
내면화 단계

- 코프(Kopp)'s 자기통제 발달 단계
 : **통.자.조.**

통제 / 자기통제 / 자기조절 단계

- 호프만's 부모의 훈육 방법
 : **철.권. 유도.**

애정철회법 / 권력 행사법 / 유도법

- 호프만's 감정이입(공감) 단계
 : **총.자. 감.삶.**

총체적 감정이입
자기중심적 감정이입
타인(감정) 지향적 감정이입
타인 삶에 대한 감정이입

- 블로스's 자립의지 성취를 위한 목표
 : **성.경. 가족.**

성적 성숙 / 경제적 자립
가족으로부터의 자유

- 하비거스트's 발달과업 3가지 원천
 : **성.동.기.**

신체적 성숙 / 개인적 동기
사회적 기대(압력)

- 에릭슨 심리사회적 위기 단계
 : **신.자.주.근.자. / 불.수.죄.열.역**

신뢰 대 불신
자율성 대 수치심
주도성 대 죄의식
근면성 대 열등감
자아정체감 대 역할혼미

- 셀만's 사회적 조망 수용 발달 단계
 : **자.주. 반.상.사.**

자기중심적 미분화
주관적 (사회정보적)
자기반성적
상호적 (제3자적)
사회적

- 브론펜 브레너's 생태학적 환경체계
 : **미.중.외.거.시.**

미시체계
중간체계 (미시체계간 상호관계)
외체계 (교육서비스, 법률서비스)
거시체계 (교육정책, 법)

- 레빈's 장 이론 (생활공간 이론) 구성요소
 : **PEB**
인간 행동(B)은 개인(P)과 환경(E)의 함수
→ 반두라 상호결정론이랑 청킹 똑같죠?

- 왈라스's 창의적 사고 과정
 : **준.부.영.검.**

준비 / 부화 / (예견) / 영감(통찰) / 검증

- 레스트's 도덕성 구성요소
 : **감.판.동.품**

(도덕적) 감수성 / 판단 / 동기화 / 품성

- 스트랭's 자기개념 분류
 : **전.사.일.이.** (전사가 12명)

전체적 / 사회적 / 일시적 / 이상적

- 제임스's 자기개념 분류
 : **물.정.사.**

물질적 / 정신적 / 사회적 자기

- 맥코비, 마틴's 부모의 양육 유형
 : **권.허.독.방.**　　(애정/통제 기준)

권위있는 / 허용적 / 독재적 / 방임적

- 의사소통 망, 2가지 유형
 : 수레바퀴형 / 완전 통로형

- 나 전달법 구성요소
 : **상.영.감.**

상대방 행동을 무비판적으로 **상황** 묘사
그 행동이 내게 미친 **영향**
내가 그것에 대해 느낌 **감정**(기분)

- 셀만's 우정발달의 5단계
 : 110-3032　(일.일.공. 상-공. 상-의)

일시적 물리적 놀이
일방적 도움
공평한 협력
친밀한 상호적 공유
자율적인 상호적 의존

- 콜버그's 성역할 발달단계
 : **정.안.일.**

성 정체감 / 성 안정성 / 성 일관성

- 이스트's 또래집단 인기도
 : **보.고. 혼.인. 거부.**

보통형 / 고립형
혼합형 / 인기형 / 거부형

- (일반적인) 또래수용 유형
 : **고.인. 거부. 논란.**

고립아 / 인기아 / 거부아 / 논란대상아

- ALSA 청소년 학습 전략검사 요인
 : **효.동.인.자.**

자기효능감 / 학습동기
인지전략 / 자원관리 전략

- 학업동기검사(AMT) 구성요인
 : 학업적 **자기효능감** + 학업적 **실패내성**

- 와이너's 청소년 비행의 분류
  : 신.사. 정.성.

신경증적 / 사회적
정신병적 / 성격적 비행

- (폭력 행위 관련) 모델링의 기능
  : 탈.관.각.

탈억제 / 관찰학습 / 정서적 각성

- 아노미 이론's 개인의 적응양식 종류
  : 반.도.의. 동.혁.

반역형 / 도피형 / 의례형
동조형 / 혁신형

→ 혁신형이 부당하게 목표 추구하여
비행이 많음

- 약물 사용 단계별 유형
  : 위.남.의.   → 위기 / 남용 / 의존

- 약물 사용의 동기 유형
  : 실.사. 상.심.

실험적 / 사회도구적
상황적 / 심화된 강박적~

제5장 진로상담

- 진로상담의 목표
  : 가.정.의. 이해증진. 이해증진.

올바른 직업 가치관
진로 탐색 및 정보활용 능력 함양
의사결정 능력 증진
자기 이해 증진
일과 직업에 대한 이해 증진

- 합리적 의사결정 돕기 위한 상담자 과업
  : 정.대.문.

선택과 결정에 필요한 정보 제공
각 대안 장단점 비교할 수 있도록 조력
심리적, 정서적 문제 극복하게끔 ~

- 올바른 직업 가치관 형성 방법
  : 수.편.성.

일을 (돈벌이)수단으로 여기는 생각 버리기
편견 버리기
성 역할 고정관념 벗어나기

- (정신역동 진로상담) 보딘's 진단체계
  : 의.정.아. 선.불.

의존성 / 정보의 부족 / 자아갈등
선택에의 불안 / 불확신 (문제가 없음)

- 행동주의 진로상담에서의 진단
  : 행동. 유.무.

우유부단(불안이 후행결과)
무결단성(불안이 선행 원인)

- 발달적 진로상담에서의 진단(평가)
  : 개.예.문. (수퍼는 개예문한 사람.)

개인평가 / 예언평가 / 문제평가

- 발달적 진로 상담 기법
  : 과.자. 현.일.

진로 자서전 = 과거 의사결정 패턴 확인
의사결정 일기 쓰기
          = 현재 의사결정 패턴 확인

- 수퍼's 상담과정 6단계
  : 자.문. 수.정. 감.행.

문제 탐색 및 자아개념 추구 돕기
(진로 탐색) 주제 선정 + 문제 설정
자신을 수용 + 통찰
현실검증을 위한 사실적 정보 탐색
현실검증 과정에서의 태도와 감정 탐색
가능한 대안과 행동을 고찰

- 파슨스's 진로 선택 3가지 공식
  : **자기. 직업. 매칭.**

자기 이해 / 직업세계 이해 / 합리적 매칭

- 윌리암슨's 변별진단의 4가지 범주
  : **선.불. 현.미.**

선택하지 않음 (진로 무선택)
불확실한 선택
현명하지 못한 선택
흥미와 적성 간의 모순

- 크리츠의 진단체계 7가지
  : **적.부. 가.우. 비.수.강.**

적응된 / 부적응된
가능성 많은 / 우유부단
비현실적인 / 수행 불가능한 / 강요된

→ 3그룹 묶으면 **적.우.비.**
    (적성, 흥미, 선택 기준으로)

- 윌리암슨 상담과정
  : **분.종. 진.예. / 상.추.**

분석→종합→진단→예측 (상담자 주도)
  →상담 및 치료→추수지도 (내담자 참여)

- 윌리엄슨의 상담기법
  : **촉.이. 행.수.위.**

촉진적 관계 형성 / 자기이해 신장
행동 계획 권고 / 계획의 수행 / 위임

- 윌리엄슨's 검사 해석 3가지 방법
  : **직접충고. 설. 설.**

직접충고 / 설명 / 설득

- 브레이필드's 직업정보의 기능
  : (이제동 말고) **정.재.동**

정보제공 / 재조정 / 동기화

- 베이어, 로버's 직업정보의 기능
  : **탐.확.평.놀.**

탐색 / 확신 / 평가 / 놀람 (직업 선택 후)

- 홀랜드 RIASEC 유형
  : **실.탐.예. 사.설.관.**

실재적 / 탐구적 / 예술적
사회적 / 설득적 / 관습적

- 홀랜드's 부가적 5가지 가정
 : 계.정. 일치. 별.일.

계측성 / 정체성 / 일치성
변별성 / 일관성

[다위스, 로프퀴스트's 직업 적응 이론]

- 성격구조 中 가치 종류 (개인 성격 이론)
 : 이.성. 편.지. 안.자.

이타심 / 성취 / 편안함 / 지위
안전 / 자율성

만족, 충족, 직업적응의 관계 그림
 : 요.강. 가.능.   (개인 vs 직업)

요구되는 능력 / 강화인 패턴
가치 / 능력

- 성격양식 = 직업환경양식 (개인 성격 이론)
 : 민.속. 지.리.

민첩성 / 속도 / 지속성 / 리듬

- (직업 적응 이론) 적응양식의 종류
 : 유.인. 적. 반응

유연성 / 인내 / 적극성 / 반응성

- 로우's 욕구이론에서 양육 유형
 : 보.요. 정서집중. / 방.거.회. / 애.무. 수용.

과보호형, 과요구형 = 정서집중형
방임형, 거부형 = 회피형
애정형, 무관심형 = 수용형

- 로우's 관계적 진로상담 과정
 : 욕.정. 인.계.

욕구 평가 (사람 - 사물 지향의 욕구 탐색)
(자기 이해 및 직업 탐색을 위한) **정보 수집**
탐색적 인터뷰
활동 계획 구축

[필립스's 발달-관계적 모델]

타인의 행동 7가지 방법, 유형
 : 소.무. 정.대.권. 지.비.

소극적지지 / 무조건적지지
정보 제공 / 대안 제공 / 권유
지도 / 비평

- 자기지시(자기지향성) 8가지 방법
  : **확.성.자.신. 정.의.공.체.**

체계적 의사결정
타인을 공명판으로 활용
타인 의견 숙고
자신에 대한 정보 구하기
신중한 타인 활용
자신감 없는 타인 활용
성공하지 못한 타인 활용
확신에 찬 독립성

- (진로 발달 이론) 직업 선택 요인 4가지
  : **가.정. 교.실.** (+ 바.가.타.)

가치관 / 정서 요인
교육 정도 / 실제 상황적 여건
 → 바람과 가능성의 타협

- 긴즈버그's 진로발달단계 (직업선택과정)
  : **환.잠.현.**

환상기 / 잠정기 (+ 전환기) / 현실기

- 긴즈버그's 잠정기+현실기 하위단계
  : **흥.능.가.(전). + 탐.결.구.**

흥미 / 능력 / 가치 / (전환기) = 잠정기
탐색 / 결정화 / 구체화   ﹦ 현실기

- 수퍼's 진로 발달 단계
  : **성.탐. 확. 유.쇠.**

성장기 / 탐색기 / 확립기 / 유지기 / 쇠퇴기

- 수퍼's 탐색기 발달과업 + 하위단계
  : **결.구.실.** (+잠.전.시.)
  → 외워야 될 게 2개라서 (탐)새끼임.

결정화 / 구체화 / 실행기
(잠정기) / (전환기) / (시행기)

- 수퍼's 확립기 발달과업
  : **안정화. 공.발.**

안정화 / 공고화 / 발전

- 수퍼's 진로 발달 이론 주요 키워드
  : **전.공.자. 성.적.C**

전생애발달 / 생애공간 / 진로자아개념
진로 성숙도 / 진로 적응
C-DAC 상담모형

- 생애 공간에서 생애역할 중요성 지표
  : **참.전.기.지** (or 가기. 전. 지.참.)

참여 / 선념 / 가치 기대 / 지식

- C-DAC 모형 (진로발달 사정 모형)
  : 구.역. 발.자. 정. 자.생.

생애구조 및 직업역할
→ 역할명확성(현저성) 검사
진로 발달 수준과 자원
→ 진로관심검사, 진로발달검사
직업적 정체성
→ 홀랜드, 적성검사, 가치검사
직업적 자아개념과 생애주제
→ 카드분류, 형용사 체크리스트

- 진로 성숙도와 진로 적응의 의미

 (진로 성숙도) 특정 단계의 발달과업
대처를 위한 심리적 자원
 (진로 적응) 일의 세계와 환경의 요
구에 대처하는 준비도

- 타이드만, 오하라's 진로 의사결정을
통한 직업 자아정체감 발달 단계
  : 탐.구.선.명.(예) / 순.개.통.(실)

탐색기 / 구체화 / 선택 / 명료화
= 예상기
순응기(적응기) / 개혁기 / 통합기
= 실천기

cf) 긴즈버그's 현실기 → 탐.결.구.
   수퍼's 탐색기 → 결.구.실.
   타이드만's 예상기 → 탐.구.선.명.

- 터크만's 진로발달 단계 구분요소 3가지
  : 의사.의. 인식.

진로 의사결정 / 진로 의식 / 자아 인식

- 터크만's 진로 발달 단계 (5~8단계)
  : 외.결.상.자.

외부지원 : 외부의 승인, 인정 추구
자기결정 : 자아 인식, 직업관 가짐
상호관계 : 직업 선택의 가치에 관심
자율성 : 자신에 대한 인식 확고

- 제한-타협 이론 진로 포부 발달단계
  : 서.성.사.내.
  (제한을 통해 회사 고른 갓프레드슨이
서성인다. 사내를)

서열 / 성 역할
사회적 가치 / 내적 고유자아

- 갓프레드슨's 타협의 원칙 4가지
  : 우.선. 대.타. (or 우.선. 버. 타협.)

우선순위 정하기
최선의 선택 (최고가 아닌 최선을~)
좋지 않은 대안 버리기
타협에 적응

- 크롬볼츠's 진로 결정 요인 (사회학습이론)
  : 유.환.학.과.

유전적 요인 / 환경적 상황
학습경험 / 과제접근기술

- 크롬볼츠's 진로 결정 요인들의 결과
  : 자.세. 과.행. (or 과.자. 세-일. 행.)

자기관찰 일반화 / 세계관 일반화
과제 접근 기술 / 행동 (행위의 산출)

- 크롬볼츠's 계획된 우연의 기술 5가지
  : 융. 낙.인. 위. 호.

융통성 / 낙관성 / 인내심
위험 감수 / 호기심

- 크롬볼츠's 사회학습 이론 상담과정
  : 기.관. 성.기. 장애.

기대 안내 (올바른 기대 준비시키기)
관심 명료화
성공경험 활용 : 질문이 죄다 과거형
잠재적 기회에 대한 민감성
장애요인 극복

- 사회인지진로이론(SCCT) 상담전략
  : 제-대. 장벽분석. 효! (제.장.효.)

제외된 대안 확인
진로 장벽 지각에 대한 분석
자기효능감 변화 촉진

- 진로상담 내담자 유형

선.불.현.미. → (By. 윌리엄슨)
의.정.아. 선.불.
→ (By. 보딘 / 정신역동적 진단체계)
자.준.의. 선.행.
→ (By. 필립스 / 진로 결정수준)
결정. 미결정. 우유부단(무결정)
→ (By. 샘슨 / 확신의 정도에 따라)
계.정. 확.정.
→ (By. 라슨 / 미결정자 하위 유형)
정.자.중.결.
→ (By. 웬버그 / 진로 미결정 이유)
결정. 편안.
→ (By. 존스, 채너리 / 결정상태 모형 축)

[SCCT 진로행동의 모형]

1) 흥미 모형 : 흥미 - 활동 목표 - 활동 선택 - 수행결과

→ 직업적 흥미가, 자기효능감 + 결과 기대에 의해 예측.

2) 선택 모형 : 흥미 - 목표 선택 - 활동 선택 - 성취

→ 흥미 모형의 인과관계 고리 기반. But. 활동 목표와 활동 선택 변인이 구체적인 진로 선택에 대한 목표와 활동이라는 점이 다름.

3) 수행 모형 : 능력/과거수행 - 수행 목표 - 성취 수준

→ 선택 모형의 목표는 무엇(what)을 할 것인가, 수행 모형의 목표는 얼마나 잘(how) 해낼 것인가와 관련.
(수행목표니까 활동 수준이 나와야 됨)

4) 자기 관리 모형 : 목표 - 행동 - 성취

→ 선택 모형과 유사성 높지만 자기관리 모형은 개인의 주도적인 역할을 강조하는 데에 초점.
→ 학습경험이 자기효능감과 결과기대를 발달시켜 진로목표를 설정. 진로목표는 또 행동에 영행을 미치고 성취를 이끌어 냄.

5) 통합 모형 : 목표지향적 활동 참여 - 직무 만족 - 삶의 만족

→ 수행 이후의 결과인 직무만족, 삶의 만족을 통합.
→ 자기효능감+결과기대가 인지적 요인, 목표 지향적 활동이 행동적 요인. 행동적 요인이 직무 만족에 더 직접적인 영향을 주므로 목표 지향적 활동 참여 강조.

CIP학자(샘슨, 피터슨)'s 의사결정 수준
: 결정. 미결정. 우유부단(무결정)

- 겔랏's 진로 의사결정의 (순환)과정
  : 목.정.대.실. 가평. 의사. 평가. 재투입

목적의식 수립 / 정보 수집
가능한 대안 열거
각 대안 실현가능성 예측
가치평가 / 의사결정
의사결정 평가 / 재투입

- 하렌's 의사결정 과정 + 의사결정 유형
  : 인.계. 확신. 이행. + 합.직.의.

인식 / 계획 / 확신 / 이행
      + 합리적 / 직관적 / 의존적

- 하렌's 의사결정 과정 中
 '이행'의 하위 단계
 : 동.자.상.

동조 / 자율 / 상호 의존

- 합리적인 양식의 의사결정 절차
 : 문. 대.기. 결.계.

문제 상황 명확히 하기
대안 탐색
기준 마련 (대안 평가할 기준)
평가 및 결정 (평가 결과 만족스런 대안 결정)
계획 수립 및 이행 (선택한 대안 수행할 계획)

- CIP 정보처리 영역 △에서,
 의사결정 기술 영역
 : 의.분.종.가.실. (CASVE)

의사소통 / 분석 / 종합 / 가치평가 / 실행

- 정보처리 영역 피라미드 中 실천 영역
 : 자.대. 모니터링과 통제

자기자각 (자기인식)
 : 무엇을 원하는지 왜 원하는지 인식
자기대화
 : 자신에게 주는 메시지
모니터링과 통제
 : 의사결정 기술 익히는 과정 모니터링

- 진로사고검사(CTI) 요인 3가지
 : 수.의.외.(과)

수행불안 / 의사결정 혼란 / 외적 갈등

- 인지정보처리 상담과정 7단계
 : 초.예.문.목. 개.실.종.

초기 면담
예비평가 : 의사결정 준비도 평가
문제 규정, 원인 분석
목표 설정
개별학습계획 구상 / 개별학습계획 실행
결과 종합 (개별학습계획 실행 결과)

- 구성주의 진로상담 이론
 진로 적응도 차원 / 역량
 : 관.통.호.자. / 계.결.탐.문.

관심 / 계획 : 미래가 있는가.
통제 / 결정 : 누가 내 미래의 주인인가?
호기심 / 탐색 : 미래에 원하는 게 뭔가.
자신감 / 문제해결 : 해낼 수 있을까.

- 사비카스's 생애설계 국면
 : 구. 해. 재-구. 상-구.

구성 / 해체 / 재구성 / 상호 구성

-사비카스's 진로 유형 면접
 : 준.역.T.책. 여.명.교.생.

준비도 (상담의 출발점)
역할모델 (이상적 자아)
TV프로그램 (선호하는 생활환경)
책 또는 영화
여가와 취미
명언 (생애사의 제목)
교과목 (선호하는 직무와 근무환경)
생애 초기기억 (무엇에 몰두하고 있는지)

- 코크란 내러티브 진로상담
                7가지 에피소드 기법
 : 문.생.미. 실.구.역. 결.

진로문제 정교화 / 생애사 구성
미래 내러티브 이끌기 / 실재 구성
삶의 구조 바꾸기 / 역할 실연
결정 구체화

- 생애사 or 미래 내러티브 구성 방법
 : 생.성. 가계. 커리. 삶-장.

생애선 / 성공경험 목록 / 진로 가계도
커리어-오-그램 / 삶의 장

- 진로 무질서 이론 체제의 기능(유인) 종류
 : 패.진.목. 우.

패턴 유인 / 진동 유인 / 목표 유인
우연 유인

- 진로 무질서 이론's 상담기법
 : 행.복. 체크. 기.

행운 준비도 지표 / 복잡성 지각 지표
현실 체크리스트 / 기회 카드 활용

- 블로's 영성이론, 일과 영성의 연결고리
 : 변.소.공.에. 균. 일.조.

변화 / 소명 / 공동체의식 / 에너지
균형 / 일치 / 조화

- 라슨's 진로 미결정 내담자 하위 유형
 : 계.정. 확.정.

계획없는 회피형 / 정보 가진 우유부단
정보도 없이 확고한~ / 정보조차 없는~

- 기스버그's 내담자 저항의 유형
 : 비.상.책.

비합리적 신념 (진로 신화)
상담에 대한 두려움
책임지기 두려움

- 무친스키's 미결정 이유에 따른 분류
  : 정.자. 중.결.

직업 정보 부족
자기이해 부족
진로선택 중요성 인식 부족
결단성 부족

- 필립스's 내담자 목표에 따른 분류
  : 자.준.의. 선.행.

자기탐색과 발견
선택에 대한 준비도
의사결정 과정
선택과 결정
행동화 (실천)

- 존스, 채너리's '진로 결정 상태' 차원
  : 결.편.이.

결정성 / 편안성 / 이유

- 홀랜드 검사 해석 내용
  : 일.변. 긍.정. +코.

일관성 + 변별성 + 긍정응답률
= 진로정체감

+ 최종 진로코드

- 진로 발달검사(CDI) 척도 구성
  : 계.탐. 의사.정. 선.

진로계획 / 진로탐색
  → 진로발달 - 태도
의사결정 / 직업세계 정보
  → 진로발달 - 지식과기술
선호하는 직업에 대한 지식

크리츠's 진로 성숙도검사(CMI) 척도
            (의사결정 태도 + 능력)
  1) 진로계획 태도 : 독.타.성.참.결.
  2) 진로계획 능력 : 정.자.계.목.문.

독립성 / 타협성 / 성향
참여도 / 결정성

직업정보 / 자기평가
계획 / 목표 선정 / 문제 해결

- 스트롱 직업 흥미검사 II 척도 구성
  : 일.기.개.

일반직업분류(GOT) / 기본흥미척도(BIS)
개인특성척도 (PSS) : 학.업.팀.위.리.
  → 학습 / 업무 / 팀지향 / 위험감수 / 리더십

- NCS 직업기초능력 종류
  : 윤.정.수.기. 의.자. 대.조. 자.문.

(직업)윤리 / 정보 / 수리 / 기술
의사소통 / 자기개발 / 대인관계 / 조직이해
자원관리 / 문제해결

- 진로지도 프로그램 개발 절차
  : 특.목. 방.내. 지.효.

사용 대상 특성, 필요성 조사
프로그램 목표 설정
진로 지도방법 조사
진로 지도내용 선정
지원체계 강구
효과 측정 가능한 평가방법 구안

- 생애 진로 사정의 구조
  : 평.일.강.요.

진로 평가 / 일상적인 하루
강점과 약점 / 요약

[안 외워지는 상담과정, 개입방법]

- 특성요인에 입각한 상담과정
  : 초.기.검.정.

초기단계 / 검사 실시 / 직업정보 제공

- 로's 욕구이론에 따른 상담과정
  : 욕.정.인.계.

(욕구) 평가하기
자기이해와 직업이해를 위한 정보 수집
탐색적 인터뷰 / 활동 계획 구축

- 우연학습 이론에 따른 상담과정
  : 기.관. 성.기. 장애.

상담에 대한 기대 준비시키기
관심 명료화
과거의 성공경험 활용
잠재적 기회에 대한 민감성 키우기
장애요인 극복

- 사회인지 진로이론에 따른 상담과정
  : 제-대. 장벽지각. 효.

제외된 진로대안의 확인
→ 표준화검사, 직업카드 분류법
진로장벽 지각에 대한 분석
→ 진로의사결정 대조표
자기효능감 변화 촉진

- 하렌's 합리적 의사결정 절차
 : **문.대.기. 결.계.**

문제 상황 명료화
대안을 탐색
(대안 평가할) 기준 확인
(각 대안) 평가 및 결정
(대안 수행할) 계획 수립 및 실천

→ 로우, 하렌(합리적 의사결정 절차)은
   신기하게도 '계획'이 마지막 단계

- 하렌's 의사결정 과정
 : **인.계. 확신. 이행.   + 동.자.상.**

인식 / 계획 / 확신 / 이행
                    (동조, 자율, 상호의존)

- 인지정보 처리이론에 따른 상담과정
 : **초.례.문.목. 개.실.종.**

초기면담
예비평가
문제 규정, 원인 분석
목표 설정
개별학습계획(ILP) 구상
개별학습계획 실행
(개별학습계획 실행 결과) 종합

- 기스버's 진로상담모델 과정
 : **상.정.해.   / 시.정.가. 개.행.평.**

상담협력관계 / 문제 정의 / 문제 해결

시작 / 정보수집 / 문제 확인, 가설 설정
개입 / 행동목표 및 계획 설정 / 평가
(→ 기스버는 개입 이후에 행동계획 설정.)

제6장 가족상담

- 브로데릭, 스미스's
        의사소통 통제에 관한 규칙
  : **항.변. 재.단.**

항상성 / 변형성
재방향성 / 단순 피드백

- 의사소통의 원리
  : **내. 대.디.의. 구두.**

내용과 관계의 원리
대칭과 상보의 원리
디지털과 아날로그 원리
의사소통의 필연성
구두점의 원리

- 역기능적 대화의 형태들
  : **규.경. 불.대.병.'**

규정된 관계를 부정
경쟁과 남용의 역기능
불일치 / 대화를 부정 / 병리적 의존

- 대화를 부정하는 역기능 종류
  : **맥.내.사.원.**

맥락의 부정
내용의 부정
(대화를 받는) 사람의 부정
원천의 부정

- 메타 대화의 효과
  : **방.역.**
→ 자신이 어떤 (방)식으로 대화하고,
대화 어떤 부분이 (역)기능적인지 확인.

- 메타 대화의 방법
  : **분.해. 조.까.**

분석하기 / 해석하기
조정하기 / 가르치기

- 이중구속의 성립상황
  : **중-2. 반. 언.비. 못함.**

중요한 관계의 2명 or 그 이상의 사람
반복적인 경험
1차 부정금지 : 언어적 명령
2차 부정금지 : 비언어적 명령
3차 부정금지 : 모순된 상황 못 빠져나감

- 이중구속의 4가지 기본 요소
  : **1. 2. 벗.구.**

1차 부정명령
2차 부정명령
(메시지 받는 사람) 벗어나는 것이 금지됨
(메시지) 구별이 중요한 의미를 가지는 상황

- 조현병 관련 연구
 : **리즈 = 균열, 불균형 / 윈 = 고무 가상.**

리즈 = 부부 균열, 부부 불균형
윈 = 고무울타리, 거짓 상호성
                    (+ 거짓 적대성)

- 대상관계 가족상담 이론의 상담 기법
 : (대상은) **공.지.안.해.**

공감 / 지탱(버텨주기)
안전한 환경 제공 / 해석

- 내면화의 단계
 : **함.내. 똥.통.**

함입 / 내면화 / 동일시 / 통합

[대상관계 이론 학자들 → 아파트 부
실공사 생각]

- 위니컷
 : (위) **거-참. 이 정도면 충분히. 버텨**

거짓 자기 / 참자기
이 정도면 충분한 어머니 역할 / 버텨주기

- 말러 : **(말러만) 안전? 분-개.**

안전기지 / 분리, 개별화

- 코헛 : **(코헛) 자기애썸?**

자기애성 / 자기(self)의 형성

- 클라인 : **우.편.환.**

우울 + 편집 = 환상

- 컨버그
 : **(컨-버그) 경계. 분.통.**

경계선 성격장애
 : 신경증(억압 기제) + 정신증(분리 기제)
분화 + 통합

- 말러's 분리개별화를 통한 대상관계
 : **자.공.분. / 분.연.화.대.**

자폐기 / 공생기 / 분리개별화기

(분리개별화는)
→ 분화 / 연습 / 화해 / 대상항상성

- 말러's 분리개별화 각 단계 특징
 : 구.전. 분.통. (분.연.화.대 순서로)

자신과 타인을 구분하기 시작
전능감 + 자기애 절정
위기, 좌절, 갈등을 통해 분열을 경험함
좋고 나쁨 통합 + 고유한 정체감 발달

- 컨버그's 통합을 통한 대상관계 발달
 : 미분. 1.2.3. 보-수.

미분화 상태
1차 분화 / 2차 분화 / 3차 분화
보완 및 수정

- 컨버그's 통합 단계별 특징
 : 쾌. 유.분.대. 보-수.

쾌와 불쾌의 구분 안 됨.
쾌, 불쾌는 구분 But 유래를 구분 못함
분열 : 좋고 나쁨 동시에 있는 것 이해X
대상항상성 + 통합
보완 및 수정을 지속

- 맥락적 ~상담's 역기능적 가족 현상
 : 부. 분. 보-충. 회.

부모화 / 분열된 충성심
보이지 않는 충성심 / 회전판

- '보이지 않는 충성심'의 의미
 : 모.역.따.

 자신도 모르는 사이에 싫어하는 부
모 역할 따라하는 것

- 보르조르메니~'s 맥락적~상담 기법
 : 자기타당. 편.해.

자기타당 / 다각적 편파성 / 해방

- 보웬's 다세대 가족상담 상담자 역할
 : 중.코.

중립성 유지 / 코치 역할
 → 상담자 역할에서 중립성 중요시하
는 모델 : 다세대, 밀란

- 미분화 가족 자아군의 결과
            (핵가족 정서체계의 예시)
 : 배.만.자.

배우자 역기능 / 만성적 결혼 갈등
자녀 역기능

- 보웬's 다세대 가족상담 기법
 : **초.삼. 코.입. 치.과. 대.관.**
→ 초3이 코, 입 성형하려고 치과 대관

자신에게 초점 맞추기 / 탈삼각화
코칭 기법 / 나의 입장 기법
치료적 삼각관계 / 과정질문
다른 가족 이야기로 대치 / 관계실험

 → 과정질문 : 문제의 지속이 상대방 행동이 아닌, 행동에 대한 반응 때문임을 확인함으로써 정서적 반응에 의해 유발된 불안 경감 + 사고 촉진
 → 관계실험 : 내담자가 충동에 따른 자동적 반응을 하지 않을 때의 변화를 경험함으로써 삼각관계를 변화

- 사티어's 의사소통 유형
 : **회.비. 초이. 산.일.**

회유형 / 비난형
초이성형 / 산만형 / 일치형

- 반맨's 경험적~상담 T가 갖출 요소(3C)
 : **일.자.유.**

일치(congruent)
자신감
유능(competent)

- 사티어's 경험적 가족상담 목표
 : **일. 가.자!**

일치적인 의사소통 유형
가족규칙 합리적으로 바꾸기
자아존중감 높이기

- 경험적 가족상담 기법
 : **빙산. 구.조. 은.재.역?**

빙산기법
가족 재구조화 / 가족 조각
은유 기법 / 재정의 / 역할극

- 가족 재구조화 기법의 주요 도구
 : **원.생.수.**

원가족 도표
가족 생활사건 연대기
영향력의 수레바퀴

- 반맨's 경험적 가족상담 빙산기법
 : **행.대. 감.지.기. 열.자.**

행동 / 대처방식
감정 / (감정에 대한 감정) / 지각
기대 / 열망 / 자기

- 미누친's 구조적 가족상담 과정
  : **합.창.재.**

상호작용 합류
상호작용 창조
(상호작용) 재구조화

- 상호작용 합류의 기술
  : **유.모.추.** → 유지 / 모방 / 추적

- 상호작용 창조의 기술
  : **과.실.** → 과제 설정 / 실연화

- 실연화의 치료적 효과
  : **신.상. 제휴.**

가족들의 신념에 도전 가능
새로운 상호작용과 그 구조 실험해볼 기회
(T가) 가족의 제휴 대상자가 되는 것 방지

- 상호작용 재구조화 기법
  : **강.증.**(이가) **긴. 체.신.경. 균형 깨-.**

강조 기법 / 증상 활용(증상의 초점화)
긴장 고조 기법 / 체계의 재편성
가족 신념에 도전 / 경계선 설정
균형 깨뜨리기

- 미누친's 식이장애 가족의 특징
  : **융.과. 경.능.휘.** (or 휘.갈.경. 과.융합.)

융합 / 과보호 / 경직
갈등 해결 능력 결여
(갈등에) 스스로 휘말리는 자녀

헤일리's 전략적 구조주의 모델 기법
  : **고.은.위. 지.역.**

고된 체험 기법
은유적 과제 / 위장기법
→ 마다네스 기법 비유와 가장에 해당
지시기법 / 역설적 개입

- 헤일리's 역설적 개입 단계
  : **재.처.제.**

재정의 / 처방 / 제지

  → 재정의 = 새티어(경험적 가족상담)
  → 증상의 재정의(재명명) = 미누친(구
조적~), 헤일리(전략적 구조주의 모델)
  → 긍정적 의미부여 = 밀란 (체계적 모델)

- 밀란's 체계적 모델 기법
  : **불.순. 의.부.** (가.)

불변처방 / 순환질문 / 의식기법 / 긍
정적 의미부여 (+ 가설설정)

- 해결중심 상담 내담자 관계 유형
  : 방.불.고.

방문형 / 불평형 / 고객형

- 해결중심 상담의 질문 기법
  : 예.전. 간.보.대. 관.악.기. 척!
  → 예전에 간호보건대에서 관악기 척! 갖
  다줘서 해결.

예외 질문 / 상담 전 변화에 관한 질문
간접적 칭찬 / 보람 질문 / 대처 질문
관계성 질문 / 악몽 질문 / 기적 질문
척도 질문

- 내러티브 모델 가족상담 과정, 기법
  : 외.독.재. 회.정.치

문제 외재화 / 독특한 결과 찾아내기
재저작 / 회원 재구성 / 정의예식
치료적 문서(편지)

화이트's 상담자의 역할 (내러티브 모델)
  : 탈.영.

탈중심적 + 영향력 O
  (상담자는 중립적/객관적인 관찰자일 수
  없음을 전제로 함)

- 외재화 대화 / 독특한 결과 대화의 순서
  : 정.탐.평.근.

정의 / 결과(영향) 탐색
영향력 평가 / 평가 근거 제시

- 정의예식에서 인정을 위한 4단계 질문
  : 표.리.공.이.

표현질문 / 이미지질문
공명질문 / 이동질문

[이론 별 기법 정리]

- 대상관계 가족상담 기법
: (대상은) 공.지.안.해.

- 맥락적 가족상담 기법
  : 자기타당. 편.해.

- 다세대 가족상담 기법
  : 초.삼. 코.입. 치.과. 대.관.

- 경험적 가족상담 기법
  : 빙산. 구.조. 은.재.역?

- 구조적 가족상담 기법

유.모.추. (상호작용 합류)

과.실. (상호작용 창조)

강.중. 긴. 체.신.경. 균형-.

(상호작용 재구조화)

- MRI 상호작용 모델 기법
: 증상처방 + 역설적 개입

- (헤일리) 전략적 구조주의 모델 기법
: 고.은.위. 지.역.

- 밀란 체계적 모델 기법
: 의.부. 불.순.

- 해결중심 상담의 질문 기법
: 예.전. 간.보.대. 관.악.기. 척!

- 내러티브 가족상담 모델 기법
: 외.독.재. 회.정.치.

- 가족 조절 및 적응 반응 모델(FAAR) 요소
: 요.역.의미.

요구 (스트레스원)

역량 (가족 자원과 대처행동)

의미 (가족 정체성, 위험의 본질)

- 왈쉬's 가족 탄력성 구성요소
: 신.의. 조직.

신념체계 / 조직 유형 / 의사소통 과정

- 올슨's 순환 모델 (써컴플렉스) 영역
: 적.응. → 적응성 + 응집성

- 적응성/응집성 수준에 따른 가족 구분
: 혼.유.구.경. / 과.분.연.밀.

혼돈된 / 유연한 / 구조화된 / 경직된
→ 적응성

과잉분리 / 분리된 / 연결된 / 밀착된
→ 응집성

- 맥매스터 모델 가족기능의 구성
: 역.기. 문.의. 반. 관.통. (By. FAD)

가족의 역할 / 가족의 일반적 기능
문제 해결 능력 / 의사소통
정서적 반응성 / 정서적 관여
행동 통제

- 맥매스터's '정서적 관여' 분류
: 생.감.도.감.

공생적 관여 / 공감적 관여
자아도취적 관여 / 감정 배제된 관여

- 맥매스터's '행동 통제' 분류
  : 혼.방.유.경.

혼돈된 / 방임적 통제
 유연한 통제 / 경직된 통제

- 엔리치 PCA 점수에 따른 부부 유형
  : 활.조. 전.갈. 활기 없는~

활기찬 / 조화로운 / 전통적인
갈등 있는 / 활기 없는

- 동적 가족화(KFD) 3가지 차원
  : 양.활.상. (S.A.S)

그림의 양식 / 구성원의 활동 / 상징

- 카터, 맥골드릭's 이혼 가족 생활주기
  : 결.계. 별.이.후.

결심 / 체제붕괴 계획 / 별거
이혼 / 이혼 후

- 재혼 가족의 생활주기
  : 관. 개(계). 재

새로운 관계 형성
(새로운 가족에 대한) 개념화 + 계획 수립
재혼 (가족의 재구성)

- 클라우스, 캐널's 장애 아동 수용 과정
  : 충.부.슬.적.재.

충격 / 부인 / 슬픔과 분노
적응 / 재조직

제7장 집단상담

- 집단의 유형
 : 성.교.과. 자.지. 치료. 상담.

성장 / 교육 / 과업 / 자조 / 지지
치료 / 상담

- 집단 형태
 : 자.구. 집.개.동.

자발, 비자발 / 구조화, 비구조화
집중, 분산 / 개방, 폐쇄 / 동질, 이질

- 집단역동 3가지 차원
 : 내.대.전.

심리내적 역동 / 대인 간 역동
(전체로서의) 집단 역동

- 빈번하게 나타나는 대인간 역동 유형
 : 회.보.가. 전.갈. 불.타.

보편성 / 가족의 재현 / 희망 주입
전염 / 갈등 / 불안 / 합의적 타당화

- 집단상담자의 인간적 자질
 : 창.모. 복.수.심-에. 새로움. 유머. 공.개.

창의성 / 자발적 모범 타인 복지에 관심
자기수용 / 심리적 에너지 / 새로움 추구
유머감각 / 공감적 이해 / 개방적 태도

얄롬's 집단의 치료적 요인 (11개)
 : 교.사. 회.정.이.집. 보.관.실. 모.카.

1차 가족집단 교정적 재현
사회화 기술 개발 / 희망주입
정보 공유 / 이타주의 / 집단응집력
보편성 / 대인관계 학습 / 실존적 요인
모방행동 / 카타르시스 (정화)

얄롬's 집단원이 뽑은 치료적 요인
                                    (Q-분류)
 : 가.지. 회. 자.이.집. 보.관.실. 출.입. 동.정.

가족 재정립 / 지도(생활교육)
희망 고취 / 자기이해 / 이타주의
집단응집력 / 보편성
대인관계 출력 + 입력 / 실존적 요인
동일시 / 정화

코틀러's 집단의 치료적 요인 (12개)
 : 인.마. 정.대리. 소.시.지. 모.과.직. 가.공.

인식(각성) / 마법 / 정화 / 대리학습
소속감 / 시연 / 지지 / 모험시도
과업 촉진 / 직면과 피드백
가족 재연 / 공적 서약

- 집단 리더십의 유형
 : 민.독.방.

민주형 / 독단형 / 방임형

- 코리's 집단의 치료적 요인 (독특한 것만)
  : **변.시.인.**

변화하겠다는 의지
마음껏 시도하기
인지 재구조화 : 특정 경험과 연관된
                 감정의 의미를 개념화

- (일반적인) 집단의 변화 촉진 요인
  : **가.새.회. 자.자.집. 보.모.모.카.**
    수.유.실.책. +피드백

가족재연 / 새로운 행동과 기술실험
희망감 / 자기이해 / 자기개방
집단 응집력 / 보편성 / 모델링
모험시도 / 카타르시스 / 수용 / 유머
실존적 요인 / 책임감 / 피드백

- 집단상담자가 개인상담 경험시 장점
  : (내담자 경험은) **효.동.역.**
    (상담자 경험은) **자.연.역.**

상담의 효과 체험
상담자 되려는 동기 탐색
자신의 문제 해소하여 역전이 가능성 낮춤

자신감 생김 (낯선 타인과의 대화에~)
연습할 기회 (의사소통 기술을~)
역동성을 이해 (상담자와 내담자 사이의~)

- 집단상담자의 집단 경험 권하는 이유
  : **대.조.역.**

대리학습 가능 / 집단 조망 기회
집단역동 체험

- 예비 집단상담자's 경험학습의 효과
  : **약.정.**

 자신의 약점과 강점 인식
 (지적 수준으로만 알았던 것을) 정서적
수준에서 학습

- 집단상담자의 문제 행동
  : **개.방. 자.폐.**

지나친 개입 / 방어적 태도
과도한 자기개방 / 폐쇄적 태도

- 집단원의 역할
  : **제.모.제. 설.합.격.방. 비.관.촉.진.**

제안자 / 정보 모색자 / 정보 제공자
상세한 설명자 / 합리적 타협자
격려자 / 방관자 / 비평가 / 관여자
촉진자 / 진행도우미

- 집단원의 문제행동
 : 독.일.의사. 소습.적. 우.중.충. 지.하. 공.감.

대화 독점 / 일시적 구원 / 의존
사실적 이야기 늘어놓기 / 소극적 참여
습관적 불평 / 적대적 행동
우월적 태도 / 중도 포기 / 충고 일삼기
지성화 / 하위 집단 형성 / 질문공세
감정화

- 코리's 집단의 발달 단계
 : 초기 / 과도기 / 작업 / 종결

- 집단상담 구조화의 내용
 : 집단 / 비밀유지 / 집단 한계
집단 한계는 → 행동, 시간, 책임, 애정의 한계

 cf) 개인상담의 구조화 내용은, 상담
에 대한 구조화 / 비밀보장에 대한 구
조화 / 상담관계에 대한 구조화

- (상담 초기 단계) 집단 구조화의 구성 내용
 : 목.운.규.규.역.

집단의 목적과 성격 확인
집단 운영방법 소개 / 집단규범 안내
집단규칙 설명 / 집단상담자 역할 소개

- 집단 분위기 조성 기법
                    (개인상담 기법과 다른~)
 : 지금-여기. 초.보. 차. 피. 지.연.

지금-여기 상호작용 촉진
초점 맞추기 (개인, 활동, 주제) / 보편성
차단하기 / 피드백 / 지지와 격려
연결짓기

- 집단상담에서 자기개방의 효과
 : 모.자.유.현.

모방학습(모델링) 기회
내담자의 자기개방 촉진 /
유사성 발견
T에 대한 감정을 현실 검증할 기회

- 나-전달법 (I-message) 구성요소
 : 상.영.감. + 요청

상황에 대한 비난 없는 서술
그 행동으로 인한 구체적인 영향
구체적 영향에 대한 상담자의 감정
(+ 어떻게 해주길 바라는지 요청)

- 터크만's 집단의 연속적 발달 단계
 : 형.격. 규.수. 휴지.

형성기 → 격동기 → 규범기 → 수행기
→ 휴지기

- 가즈다's 집단상담 단계
 : 욕.계.광.보. 사.선.사.활.

관련된 사람들 욕구 탐색
(집단상담) 계획서 작성
모집 광고 / 보호자 승인 얻기
사전 집단 면담 (개별적 면담)
집단원 선정 / 사전 검사
집단활동 실시 / (사후 검사)

- (예비 잡단원에 대한) 개별면담의 목적
 : 동맹. 준비.

작업동맹 형성을 통해 중도포기 예방
집단원들 준비시켜 집단과정 조기 촉진

- 집단 계획서 작성 시, 고려사항
 : 필.목.활 유.크.구.수.선. 일.장.홍.기.

집단의 필요성과 목적 / 집단 목표
집단 활동 / 집단 유형 / 집단 크기
집단 구성 / 집단상담자 수
집단원 선발 / 일정 / 장소 / 홍보
기대효과

- (첫 회기 시작 시) 집단상담자의 실수
 : 강.산. 경직.

강압적 시작 / 산만한 시작 / 경직된 시작

- 예비 집단회기에서, 집단상담자의 역할
 : 기.규.규. 불. 비-잠.

집단원 기대 명료화
집단규범 안내 / 집단규칙 설정
집단원 불안감 해소
'비자발적 잠재적 집단원' 면담

- 집단 구조화의 구성 내용
 : 목.운.규.규.역.

집단의 목적과 성격 확인
집단 운영방법 소개
집단규범 안내 / 집단규칙 설명
상담자 역할 소개

- 초기 단계 집단의 (발달)과제
 : 응.구. 목. 신.상.

집단 응집력 형성 / 집단 구조화
집단 참여의 목적 명료화
신뢰 분위기 조성
(지금-여기에서, 과정 중심) 상호작용 촉진

- 과도기 단계 집단의 (발달)과제
 : 저.기. 갈.신.

저항의 처리 / 기능적인 집단 구조 유지
갈등 촉진
안전과 능력에 대한 신뢰감 형성

- 종결 단계(전체 집단 종결)의 과제
  : 이.경.미. 비밀.

이별감정 다루기
집단 경험의 요약+통합
미해결 과제 다루기
비밀유지의 중요성 강조

- 첫 회기 종결의 필수 요소
  : 요.소.   → 회기 요약 / 소감 확인

- 각 회기 종결의 기술
  : 목.차.   → 목적의 명료화 / 차단

- 회기 종결 시의 미결 사안 다루기
  : 유. 똥.개.

일단 유보
동의 구한 후 종결시간 늦추기
동의 이루어지지 않으면 개별면담

- 집단평가의 방법 하나만 외운다면?
  : 단어 연상법

- 추수 상담(단계) 갖는 이유
  : 일정 기간 후, 집단원들 '기능 상태' 점검

- 집단원 충원의 시기
  : 침.적. / 새-갈. 부적.

 집단의 침체 상태에는 충원 적절
 새로운 발달 단계 진입 혹은 갈등
겪을 때는 부적절

- 중도포기 집단원에 대한 대처
  : 개인면담. 대안 둘.

 개인면담을 통해 집단의 경험이 실
패가 되지 않도록~
 집단 참여 준비가 되지 않은 경우,
개인상담 먼저
 다른 집단에 차여하는 것도 하나의
대안

- 집단원 문제행동의 문제점 + 개입
  (1가지씩)

대화 독점 : 지.책.
 듣는 집단원들 입장에서 지루함
 이를 방임한 집단원들 모두의 책임
임을 인식

일시적 구원 : 박.기.
 깊게 탐색할 기회를 박탈함
 성찰을 통한 교정적 정서 체험의 기
회를 제공

의존적 행동 : **예스.혼.**
　"Yes But~"과 같은 반응으로 도움 제
공하려는 집단원들 무기력하게 만듦.
　혼동하지 않는다. (정말 도움이 필요한
행동으로)

사실적 이야기 늘어놓기 : **불. 공.차.**
　다른 집단원들의 불만을 초래함
　공감적 이해를 통한 지금-여기에 초
점 + 차단기법

소극적 참여(침묵) : **불.의.**
　관찰당하는 느낌으로 인한 불안과
분노 유발
　침묵의 의미에 대해 파악 후 적절히
개입

습관적 불평 : **분.활.**
　집단의 분위기를 해침
　집단에 **활**력을 불어넣는 집단원에게
질문하거나 피드백을 제공하게 하여,
집단 분위기 고양시킴

적대적 태도 : **자.이.**
　다른 집단원들의 자아개방을 어렵게 함
　적대적 태도로 인한 영향 이야기 나
누기 (다구리)

우월적 태도 : **자.이.** (위와 동일)
　다른 집단원들의 자아개방을 어렵게 함
　우월적 태도로 인한 영향 이야기 나
누기 (다구리)

중도포기 : **위.개.**
　중도포기는 집단상담자가 위기의식
을 갖게 함
　가능성 있는 집단원에게 개인면담
기회 제공

충고 일삼기 : **승.기.**
　미묘하게 충고 하는 사람이 승자(강
자)라는 느낌을 줌
　충고 일삼는 행동의 동기를 탐색할
기회 제공

지성화 (주지화) : **자.기.**
　자기개방을 어렵게 하고 집단의 신
뢰 형성을 막음
　감정을 인식하고, 경험하고, 표현해볼
기회 제공

하위집단 형성 : **응.직.**
　집단 응집력을 해칠 수 있음
　하위집단에 따른 문제를 집단에서
직접적으로 다룸

질문공세 : **접.자.**
　자신은 지금-여기 감정에 **접**촉 안 하
게 됨.
　질문의 핵심내용을, **자**신을 주어로
하여 표현하게 함

감정화 : **허.짝.**
　감정화 일삼는 집단원 때문에 시간
을 지나치게 허비
　짝지어 서로의 생각과 감정을 나누게 함

- 교정적 정서 체험의 2가지 조건
  : 정.현.

정서적 요소
+ 체계적 현실 검증이 있어야 함.

- 심리극 구성요소
  : 주.연. 보조. 무.관.

주인공 / 연출자 / 보조자아 / 무대 / 관객

- 심리극 주요 원리
  : 창.자.즉. 잉.텔.참.

창조성 / 자발성 / 즉흥성 / 잉여현실
텔레 / 참만남

- 심리극 진행 단계
  : 워.행. 나.과. (뭐행? 나가!)

워밍업 / 행동(실연) / 나누기 / 과정분석

- 심리극 기법
  : 마.력.거.미. 이중. 독.

마술 상점 기법
역할 훈련 or 역할 바꾸기
거울 기법 / 미래 투사
이중자아 기법 / 독백

- 서스만's 상담 및 심리교육 프로그
  램 개발 모형
  : 문.수.선. 요.구.

문헌 연구 (P에 대한 내용의 이론적 검토)
활동 수집
활동 선정 (지각된 효능 평가를 위한~)
요소 연구 (선정된 활동들의 즉시적 효과 연구)
프로그램 구성과 예비연구

- 서스만's 프로그램 활동요소의 선정 기준
  : 수.도.접.영.

수용성 / 목표 달성에 도움 되는 정도
접근성 / 목표집단에 미치는 영향

- 서스만's 프로그램 내용의 관계 유형
  : 동.상. 빌.집.

동일목표 지향형
 : 하나의 효과를 위한 2~3개의 활동요소
상보적 관계형
 : 여러 활동요소가 각기 다른 형식으로 진행
빌딩블록형
 : 2~3개 활동요소가 연계적으로 구성
실시집단에 따른 유형
 : 같은 목표라도 집단에 따라 다르게~

제**8**장 심리검사

- 객관적 검사의 장점 + 단점
 : 실.신. + 반.사.

실시 간편
신뢰도, 타당도 보장 (표준화 검사 특징)

+ 반응경향성 / 사회적 바람직성 문제

- 투사 검사의 장점 + 단점
 : 무.풍. + 신.상.타.일.

개인 무의식 내용이 반영
반응이 풍부

+ 신뢰도↓ / 상황마다 다른 반응
  타당도↓ / 일관성↓

- 척도의 종류
 : 명.서.등.비.

명명척도 / 서열척도
등간척도 / 비율척도

- 검사의 양호도 中 신뢰도의 유형
 : 재.동.반.문.

검사-재검사 / 동형검사 / 반분
문항 내적 합치도

- 각 신뢰도의 단점
 : 두.시.간. / 동.조. / 달라. / 소.신.

 (재) 검사 두 번 실시 / 시간 많아~ /
검사 간격 설정 문제
 (동) 동형검사 제작 어려움 / 같은
조건에 실시 어려움
 (반) 검사 반분 방법에 따라 신뢰도
달라짐
 (문) 과소추정되는 신뢰도 문제

- 검사의 양호도 中 타당도의 종류
 : 구.내.공.예.

구인 타당도 / 내용 타당도
공인 타당도 / 예언 타당도
  → 구인 타당도 = 수렴, 변별
   + 준거 타당도 = 공인, 예언

- 타당도와 신뢰도의 관계
 : 신.타.필. (신뢰도는 타당도의 필요조건)

- 각 타당도 측정 방법
 : (구)상.중.요. / (내)전 / (공)상 / (예)시

(구) 상관계수표 / 중다특성-중다방법 행렬
   / 탐색적 요인분석
(내) 전문가 소견
(공) 두 검사 간의 상관관계 비교
(예) 시간 지난 후 측정

- 각 타당도의 단점
  : 많은 / 전문가 / 기.타. / 소.타.

(구) 요인 분석하려면 많은 사례 필요
(내) 전문가마다 다른 견해
(공) 타당도 입증받은 기존 검사가
존재해야 함
(예) 과소추정되는 타당도

- 정신상태검사 (MSE) 측정 영역
  : 지.사.외.감.

지각 / 사고와 언어 / 외모와 행동
감정과 기분

- MSE '사고와 언어' 영역 측정 내용
  : 인.기.집.주. 통.판.지.

인지기능 / 기억, 집중력, 주의력
통찰, 판단력 / 지남력 / (사고내용, 언어)

- 성격평가질문지(PAI) 척도 구성
  : 대.치.타.임.

대인관계 척도 / 치료 척도
타당도 척도 / 임상 척도

치료척도
→ 비지지, 치료거부, 스트레스, 공격성,
자살관념 (비.치.스.공.자.)

- MMPI-2 타당도 척도 (10개)
  : 성.비.방.

범주	척도
성실성 → 무효반응	? (무응답)
	VRIN (무선반응 비일관성)
	TRIN (고정반응 비일관성)
비전형성 → 과잉보고	F (비전형)
	F(B) (비전형-후반부)
	F(P) (비전형-정신병리)
	FBS (증상 타당도)
방어성 → 과소보고	L (부인)
	K (교정)
	S (과장된 자기제시)

cf) MMPI-A는 타당도 척도 (8개)
→ ?, VRIN, TRIN / F, F1, F2 / L, K

- MMPI 임상척도
  : 건강. 해스 우디.
    히스테리 하이? 반사회성 PD.
    5남5녀 편파.
    강박적 PT, 정신만은 스페셜콤보
    경마.장에 사내. 아이.

약자	특징
Hs	신체적 기능에 대한 과도한 관심 심리 상태에 대한 통찰 부족
D	검사 수행 당시의 우울 기분 → 내인성보다는 반응성 우울
Hy	'부인' 기제 사용하는 정도
Pd	가정이나 권위적 대상에 대한 불만, 반항, 충동성
Mf	남성성-여성성
Pa	자기정당성, 피해의식, 대인관계 민감성 → 도덕적 경직
Pt	심리적 고통, 불안, 강박관념 → 상태불안보다는 특성불안
Sc	자폐적 사고, 현실검증능력 저하, 주의집중 어려움, 사회적 고립
Ma	심리적·정신적 E 수준 측정 사고/행동에 대한 효율적 통제 지표
Si	사회에 대한 흥미 정도 → 내향성, 대인관계 기피 정도

- 쿤스, 앤더슨's 임상척도 기본차원
  : 신.평.표.주. 유.혹.조.상. 열.자.

신중성 / 평가 / 표현 / 주장성
역할 유연성 / 호기심(혹이심)
조직화 / 상상력 열의 / 자율성

- MMPI 코드쌍 해석

1-2 : 다양한 신체 증상 호소,
　　　과도한 염려

1-3 : 전환 증상. 심리적 고통을 신체적
　　　문제로 외재화 → 전환장애 가능성
　　　(3이 더 높다면 2차 이득 관련)

2-3 : 현저한 우울·불안, 의존적
　　　E부족 (만성적 피로감)

2-4 : 충동 조절 어려움, 보복적 자살
　　　가능성 → 충동의 행동화 결과
　　　에 대한 죄책감과 불안

2-7 : 자기비판, 강박사고·강박행동,
　　　피로감 → 우울, 불안장애 가능성

4-6 : 자신의 잘못에 대해 타인을 비난
　　　자신에 대한 통찰이 X
　　　→ 수동-공격성 프로파일

3-4 : 만성적이고 강한 적개심, 자기
　　　중심적 → 공격성과 적개심의
　　　통제 여부 확인하는 지표

3-8 : 망상적 사고, 심각한 불안, 긴장,
　　　무기력 → 조현병 가능성
　　　(관심 끌고 동정받으려는 욕구 有)

6-7-8 : 심각한 정신병리를 시사
　　　　→ 조현병

6-9 : 정서적으로 불안정, 화를 잘 냄
　　　(6을 9가 행동화)

4-9 : 행동화적 경향성
　　　(충동적 행동의 외현화된 표출)

- MMPI 성격병리 5요인 척도
: 내.신.공.정. 통제 결여.

INTR(내향성, 낮은 긍정적 정서성)
NEGE(신경증, 부정적 정서성)
AGGR(공격성) / PSYC(정신증)
DISC(통제 결여)

- MMPI-A 내용척도 (15개)
: 불.우. 사.부. 건강. 기.분. 냉.자.가.
+ 소.품.학.포

A-anx(불안) / A-dep(우울)
A-sod(사회적 불편감) / A-trt
A-hea / A-obs / A-biz
A-ang(분노)
A-cyn(냉소적 태도)
A-lse(낮은 자존감)
A-fam(가정문제)
A-aln(소외) / A-con(품행문제)
A-sch(학교문제) / A-las(낮은 포부)

- MMPI-A 보충척도 (6개)

A(불안) / R(억압)
MAC-R(맥앤드류의 알코올 중독)
ACK(알코올/약물문제 인정 척도)
PRO(알코올/약물문제 가능성 척도)
IMM(미성숙 척도)

- PAI '대인관계 척도' 구성 2가지
: 지배성 / 온정성

- K-위스크-5 지표별 소검사 (언.시.
유.작.처.)
: 공.어.상.이 / 토.퍼 / 행.무.공.산 / 수.
그.순 / 기.동.선

지표	소검사
VCI	공통성, 어휘, (상식), (이해)
VSI	토막짜기, 퍼즐
FRI	행렬추리, 무게비교, (공통그림찾기), (산수)
WMI	숫자, 그림기억, (순차연결)
PSI	기호쓰기, 동형찾기, (선택)

→ 검사 순서 : 21345-13245
→ 위스크 5에서는 3개 소검사 추가.
(퍼.무.그.)
→ 7개 소검사로 FSIQ 산출
(7개 中 1개만 대체 가능.)
= 공.어.토.행.무.숫.기.
→ GAI는 퍼즐 제외 5개 합산
(언어이해 + 시공간 + 유동추론)
→ CPI는 4개 합산 (작업기억 + 처리속도)

- K웨이즈-4 지수별 소검사 (언.지.작.처.)
  : 공.어.상.이 / 토.행.퍼.빠.무
  수.산.순 / 동.기.지

지수	소검사
언어이해 VCI	공통성, 어휘 상식, (이해)
지각추론 PRI	토막짜기, 행렬추론 퍼즐, (빠진 곳 찾기), (무게비교)
작업기억 WMI	숫자, 산수, (순서화)
처리속도 PSI	동형찾기, 기호쓰기, (지우기)

→ 검사 순서 : 213-213-4214

- K-위스크-5 해석 단계
  : 전.기.소.추.

  전체IQ 해석 (FSIQ)
  기본지표 척도 5개 해석
  → 비교점수를 통한 강.약점 분석
    + 지표점수간 차이 비교
  기본지표 척도 소검사 10개 해석
  추가지표 척도 해석

- K-ABC (카우프만 아동지능 검사) 특징
  : 순-동.인. 후.비.좌.

  과제 해결이 순차적인지 동시적인지
  에 따라 측정
  지능을 인지처리과정으로 봄
  후천적 습득 지식을 지능척도와 분리
  비언어성 척도가 포함
  좌뇌와 우뇌의 기능을 골고루 측정

- K-ABC 하위척도
  (인지처리지표, 유동성-결정성지표)
  : 순.동.학.계.지 + 단.시.저.유.결.
                              (CHC모델)

  순차처리 / 동시처리 / 학습력 / 계획력 / 지식
  (단기기억)
          (시각적 처리)
              (장기저장-회상)
                  (유동성 추리)
                      (결정성능력)

  순차처리 : 제시된 정보들을 순서대로
            정확히 재현
  동시처리 : 시공간적 구성 + 비언어적
            추론 능력
  학습력 : 시각+언어로 짝지어진 자극
          20분 뒤에 회상
  계획력 : 추론을 통한 가설 설정으로
          문제 해결
  지식 : 어휘력, 지식을 평가

- 투사 검사 소개

 HTP : 집, 나무, 사람(남자, 여자) 그리기
 KFD : 가족들 뭐하는지 그리기 (본인 포함)
 로샤 : 잉크카드 10장 뭘로 보이는
지 말하기
 TAT : 카드 31장 중 연령 및 성별
에 따라 20장, 10장씩 2회 설명
 BGT : 도형 A~8 (총 9장의 자극카드)
보고 따라 그리기
 SCT : 문장 뒷부분 채우기

HTP (집-나무-사람) 해석 시 유의사항
 : 구조적 요소 / 내용적 요소
        → 두 측면 모두 고려

- HTP 단점 : 반응성 / 신체적 제약~

 반응성이 적어 로샤, TAT보다 투사
유발 어려움
 신체적 제약이 있는 사람은 표현에
제약이 있음

- KFD 구조적 해석의 영역 3가지
                (번스's 채점체계)
 : SAS (양.활.상.)

양식(Style) / 활동(action) / 상징(symbol)

- 번스 채점체계에서 양식(style) 예시

 구분화 : 직선이나 곡선으로 인물 의
도적으로 분리
 → 아동의 외로움, 억압된 분노 / 가
족간의 응집력 부족

 포위 : 특정 인물을 선으로 둘러싸
이게 함
 → 대상을 위협적으로 인식 / 포위된
대상과 정저적 단절

 상부의 선 : 용지 위쪽에 선 긋는 거
 → 불안, 걱정, 위기감

 하부의 선 : 용지 하단에 선 긋는 거
 → 정서적 지지 못 받는 경우, 안정욕구
를 의미 (인정욕구X)

 인물하선 : 특정 인물 아래에 선 긋
는 거
 → 해당 구성원에 대한 불안감

- 로샤 검사의 실시 단계
 : 반.질.

(지시 단계) / 반응(자유연상) / 질문

 → 채점 시, 반응 단계의 자발적 응답
반응만 채점 (질문 단계에서의 반응은 채
점 X) + 반응 단계에서 나타난 모든 요
소를 채점에 포함

- 로샤 검사의 채점 영역
 : 반응위치 / 반응결정인 / 반응내용

 반응위치 : 어디서 그렇게 보았는지
 반응결정인 : 무엇이 그렇게 보도록
만들었는지
 반응내용 : 어떤 내용인지

- TAT 욕구-압력 분석법 절차
 : 주인공 / 환경의 압력 / 욕구
관심 있는 대상 / 내적 심리상태
행동 표현방식 / 사건의 결말

- TAT에서 확인하는 것
 : 콤.동. 정.상. 대-역.

콤플렉스 / 동기 / 정서
환경과의 상호작용 / 대인관계 역동

- BGT(벤더 게슈탈트 검사) 실시 순서
 : (투사 목적은) **모변.회상.**
  (기질적 장애는) **노.모.회상.**

투사 목적
 : 모사 - 변용묘사(+자유연상) - 회상
기질적 장애
 : T(순간노출) - C(모사) - R(회상)

- BGT(벤더 게슈탈트 검사) 장점
 : 뇌.지.문. 표현.

 뇌기능 장애, 지적장애, 문맹자에게
도 실시 가능
 표현 의사가 없는 피검자에게도 실
시 가능

- 삭스's 문장완성검사(SSCT) 검사 영역
 : 성.대.가.자.

성(sex) / 대인관계 / 가족 / 자기개념

- 바이랜드 적응행동척도 2판 (사회성
  숙도 검사) 구성
 : 의.사.생.운.

의사소통 / 사회성 / 생활기술 / 운동기술
+ 부적응행동(선택사항)

- CBCL '문제행동 증후군 척도' 구성
 : 신.불.위. / 규.공. / 사.주.미.

내재화 (신체증상, 불안/우울, 위축/우울)
외현화 (규칙위반, 공격행동)
사고문제 / 주의집중문제
사회적 미성숙

- (CBCL에서) DSM 진단척도 하위 척도
  : 정. 불.신. A. 반품

정서 / 불안 / 신체화
ADHD / 반항행동 문제 / 품행 문제

- (CBCL에서) 특수척도의 하위 척도
  : 인.강. 외상.

인지속도 부진 / 강박 증상
외상 후 스트레스 문제

- CBCL 6-18 척도 구성

문제 행동 척도	문제 행동 증후군 척도	내재화 문제 → 불안/우울 위축/우울 신체증상	
		외현화 문제 → 규칙 위반 공격행동	
		사회적 미성숙	
		사고 문제	
		주의집중 문제	
		기타	
	DSM 진단 척도	정서 문제 불안 문제 신체화 문제 ADHD 반항행동 품행	
	특수 척도	강박증상 외상 후 스트레스 문제 인지속도 부진	
적응 척도	학업수행 사회성		

- 아동청소년 행동평가 척도
  프로파일 해석 기준 점수

문제행동 증후군 소척도	임상	T 70 이상
	정상	T 65 미만
문제행동 총점, 내재화, 외현화 척도	임상	T 64 이상
	정상	T 60 미만
DSM 진단척도 특수척도	임상	T 70 이상
	정상	T 65 미만
적응 소척도 (학업수행, 사회성)	임상	T 30 이하
	정상	T 35 초과
적응척도 총점	임상	T 36 이하
	정상	T 40 초과

- K-척도 구성
  (인터넷/스마트폰 중독 자가진단 척도)
  : 내.금.일. + 가.

내성 / 금단 / 일상생활 장애
가상세계 지향

- S-척도 구성 요인 (스마트폰중독 척도)
  : 내.금. + 현.충.대.문.

내성 / 금단
현저성 / 충동적 · 강박적 사용
대인 간 갈등
문제 (일탈, 신체적 통증, 비행)

- 스마트폰 과의존 청소년 척도 요인
 : **현.조.문.**

현저성 / 조절 실패 / 문제적 결과

- (일반적인) 인터넷 중독 증상
 : **내.금.일. + 신. 일-현.**

내성 / 금단 / 일상생활 장애
신체적 증상
일탈행위 및 현실구분장애

- 청소년 학습전략검사(ALSA) 구성 요인
 : **효.동. 인.자.**

자기효능감 / 학습동기
인지-초인지 전략 / 자원관리 전략

학업동기검사(AMT) 요인
 : 학업적 자기효능감 / 학업적 실패내성

- 자기조절 학습 검사의 2가지 차원
 : **인.동. 조절 (+ 숙.자.가.)**

인지 조절
 : 인지 전략 / 초인지 전략
동기 조절
: 숙달목표 지향성 / 자아효능감 / 성취가치

초등학생 정서행동 특성검사(CPSQ)
　　　　　　　정서행동 문제요인
 : **사.과. 집.불.**

사회성ㆍ학습 부진 / 과민ㆍ반항성
집중력 부진 / 불안ㆍ우울

- 중ㆍ고등학생 정서행동 특성검사(AMPQ)
　　　　　　　정서행동 문제요인
 : **부.기.통.불**

심리적 부담 / 기분문제 / 자기통제 부진
불안문제

- 심리검사 보고서의 일반적 형식(구성)
 : **사.실. 행.주. 배.검.평.**

의뢰 사유 / 실시 검사 / 행동관찰
주 호소 증상 / 배경 정보 / 검사 결과
평가 및 요약

- 평정의 오류 (평정자에 기인하는 오차)
 : **대.표.논. 관.인.집. 인.근.**

대비의 오차 / 표준의 오차 / 논리적 오차
관용의 오차 / 인색의 오차
집중화 경향의 오차
인상의 오차 (후광효과) / 근접의 오차

[투사 검사 실시 방법]

1) HTP (생략)

2) DAP (인물화 검사)
- 종이는 세로로 제시 + 그림 완성까
  지 시간 기록
- 그림 다 그리면 성별 묻고 반대 성별
  그리라 지시

3) 로샤 검사 (반응위치, 반응결정인,
반응내용 확인)
- 좌석 배치는 옆으로 나란히 앉거나
  90도 방향 (얼굴을 마주보는 위치는
  피하는 것이 좋음.)
- 로샤 검사 과정 : 자유연상 → 질문
  → 한계음미
- 목적이 뭐예요? 질문 : "성격 특징 알
  려주는 검사다."
    → "당신의 문제를 보다 잘 이해할
  수 있는 방법이다."
- 첫 번째 카드 제시하며, "이것은 무엇
  처럼 보입니까?" → 무엇이 생각나
  는지 X, 이외의 말 더 하면 안됨.
- 잉크 반점에 대해 연상한 것이 아닌,
  '본 것 그대로'를 보고해야 함. (로
  샤검사가 상상력 검사한다는 잘못
  된 신념을 심어줘선 안 됨.)
- 질문 단계 : "이제 카드를 다시 보면
  서 당신이 본 것을 저도 볼 수 있도
  록 말씀해주세요. 당신이 말했던 것

을 제가 그대로 읽으면 그것을 어디
에서 그렇게 보았는지, 어떻게 해서
그렇게 보게 되었는지 설명해주세
요."

4) TAT (주제통각검사)
- 첫 지시문 : "지금 몇 장의 카드를
  보여드리겠습니다. 각 그림을 보면
  서 될 수 있는 한 극적인 이야기를
  만들어보세요."
- 16번 백지카드 지시 : "이 카드는
  아무것도 없는 백지카드입니다. 무
  엇이든 좋으니 마음속으로 그림을
  떠올려보세요. 눈을 감고 생각해도
  좋습니다."
- 카드의 불분명한 부분 결정을 어려
  워 할 때 : "보이는 그대로 보시면
  됩니다."
- 과거나 미래 생략하거나 현재 생각,
  행위를 묘사/기술하기만 할 때 : "무
  엇을 하고 있는지 잘 말해주었습니다.
  그런데 이 장면이 있기까지 어떤 일
  이 있었고 앞으로 어떻게 될지, 구체
  적인 이야기를 만들어보세요"
- 종결질문 : 20개 카드에 대한 반응이
  모두 끝난 후,
  첫 카드부터 검사자가 보충하고 싶은 부
  분에 대해 질문
→ 로샤는 지각적인 과정 분석에 유
용한 반면, TAT는 대인관계 역동 파
악에 유용.

5) BGT (벤더 게슈탈트 검사)

- 자극 카드(9장) : 보이지 않게 차례로 엎어놓고 도형 A부터 도형 8까지 차례대로 제시.
- 자극 카드는 피검자 왼쪽에~ (왼손 잡이는 오른쪽)
- 모사 용지는 세로로 제시
- 모사 단계 지시문 : "지금부터 이 카드들을 한 번에 한 장씩 보여드리겠습니다. 각 카드에는 간단한 그림이 있습니다. 이 그림을 보고 그대로 그려주세요."
- 종이를 가로로 놓고 그리려 할 때 : 한 번은 다시 세로로 놓아주고, "이렇게 그려보라."라고 한 뒤, 또 가로로 돌리면 그냥 놔둠.
- 카드가 몇장인지 수검자가 물어볼 때 : "이 정도입니다."라고 손에 쥐고 있거나 놓아둔 카드 더미 보여줌. (몇 장인지 알려주는 거 X)
- 어떻게 그려야 할지 물을 때 : "그리고 싶은 대로, 가능한 최선을 다 하시면 됩니다.)
- 변형 묘사 단계 : "그림을 다시 한 번 차례대로 보여줄 테니, 자신이 원하는 모양을 변형시켜 그리고 싶은대로 그려보세요."
- 자유연상 단계 : 원래 자극도형과 변형한 도형을 보여주면서 이 둘을 각각 보고 무엇이 생각나는지 연상시킴. : "이 그림이 무엇처럼 보입니까? 그리고 무슨 생각이 듭니까?"
- 회상 단계 지시문 : "보고 그린 그림을 기억하여 생각나는 것을 다시 그려보세요."

6) SCT

- 지시문 : "다음에 제시된 문장은 뒷부분이 빠져있습니다. 각 문장을 읽으면서 맨 처음 떠오르는 생각을 뒷부분에 이어 문장이 되도록 완성해보세요."
- 지시사항 : "시간 제한은 없으나 되도록 빨리~"
- 볼펜이나 연필을 쓰되, 지울 때는 두 줄로 긋고 다음 빈 공간에 써야 함.
- 주어진 어구를 보고도 생각이 안 나면?
  : 번호 표시해두고 다음 문장으로 넘어가게 함.
- '한 단어만 써도 되나요?' 질문 : "한 단어든 여러 문장이든 상관없고 단지 문장을 읽고 떠오른 생각이면 됩니다."
- 불안이 심한 피검자 : 문항을 읽어준 뒤, 대답을 검사자가 받아적도록 한다.

제9장 특수아상담 및 이상심리

- 데노's 특수교육 전달체계
  → LRE 원리에 근거함

- 개별화 교육 계획 (IEP)
 : 학교장은 학년 시작 후 2주 이내 개별화교육지원팀 구성, 개별화교육지원팀은 학기 시작 후 30일 이내에 개별화교육계획 작성

- 개별화교육계획 구성요소
 : 서.인.수. 목.평.내.방.

특수교육 관련 서비스 / 인적사항
현재 수행수준 / 교육목표 / 평가계획
교육내용 / 교육방법

- 특수교육 대상자 진단 및 평가 도구

정신지체 (지적장애) : **사.적.운. 기.지**
 → 사회성숙도검사, 적응행동검사, 운동능력검사, 기초학습검사, 지능검사

정서 · 행동/자폐성 장애 : **행.성.적.준**
 → 행동발달검사, 성격진단검사, 적응행동 검사, 학습준비도검사

학습장애 : **시-지-운. 준.기.지**
 → 시각-운동 통합발달검사, 지각운동발달 검사, 시지각 발달검사, 학습준비도검사, 기초학습(기능)검사, 지능검사

- 특수교육대상자 평가과정
 : 선.진.적. 계.배. 평.

선별 / 진단 / 적격성 판단
프로그램 계획 및 배치
형성평가 / 총괄평가

- 특수아에 대한 지원 수준
               (지적장애 지지수준에 있음)
 : 간.제.확.전.

간헐적 / 제한적 / 확장적 / 전반적

- 전반적 발달지연 진단 기준 : 5세

- 지적 장애 교육/상담 방법
 : **직.기.자.**

직접교수법
 : 과제를 잘게 나누어 가르침
기능적 교육과정
 : 각 생활 영역별 기술을 가르침
자기결정기술
 : 간섭 없는 주체적 선택, 활동을 도움

- 직접교수법의 원리
 : **직.자. 교.활.** → 직접적이고, 자주 측정하며, 교수계획에, 활용.

- 기능적 교육과정의 영역
 : 주.관. (센) 건.기.지역. 직.가. 의.사.

자기주도 / 자기관리
건강과 안전 / 기능적 교과
지역사회 활용 / 직업 / 가정 생활
의사소통 / 사회적 기술

- 자폐 스펙트럼 장애 진단기준 (A)
 : 상.관.비.

사회적-정서적 상호성의 결함
관계에 대한 이해, 유지, 발전의 결함
비언어적 의사소통 능력의 결함

- 자폐 스펙트럼 장애 진단기준 (B)
 : 운.동. 감.흥.

상동증적 운동성 동작, 물건 사용, 말하기
동일성에 대한 집착
감각정보에 대한 과잉 또는 과소 반응
강도나 초점에 있어 극도로 제한된 흥미

- 자폐 스펙트럼 장애 원인 관련 이론
 : 마.실.중.

마음이론 (~인지 결핍)
실행기능 결함
중앙응집이론

- 자폐 스펙트럼 장애 치료 및 개입
 : 티(T).패.응.껴.

TEACCH 프로그램 (teach 아님!)
→ 환경 재구성을 통한 자폐아의 강점
  기반의 중재
패터닝 치료법
→ 비정상적 민감성 극복을 위해 다른
  감각 사용
응용행동분석(ABA)
→ 선행사건 / 행동 / 결과에 각각
  행동수정
껴안기 치료
→ 자폐아 아동이 결국 저항을 포기

- 구조화된 교수법 (TEACCH 프로그램) 구성
 : 물.과. 시.작.

물리적 구성 / 과제 조직화
시각적 일과표 / 작업시스템

- ADHD 원인들
 : 상.도.각.

상호작용론
도파민, 노르에피네프린
자극에 대한 역치값 높아 저각성 상태

- ADHD 진단(평가) 방법
 : 실.연. ARS.

전두엽 실행기능 검사 (주로 억제력을 측정)
연속수행검사(CPT) : 아동용은 ADS, CAT
K-ARS : 9 + 9 = 18개로 구성

- 주의집중의 종류
 : 선.지.분. 변경.

선택적 주의 / 지속적 주의
분할 주의 / 주의력 변경

- ADHD 상담 및 치료
 : 인.생. 5단계.

인지행동훈련 (언어적 자기지시 훈련)
생각말하기 훈련 (Think Aloud)
5단계 생각법 (스마트 시청각 집중력 P)

- 언어적 자기지시 훈련 4단계 질문
 : 문.방.사.(우) 결과.

문제가 무엇인가?
내가 사용 가능한 방법은?
해결방법 잘 사용하고 있나?
사용한 결과는?

- (ADHD에서) 생각말하기 훈련 과정
 : 정.탐.점.평.

문제정의 / 문제탐색
자기점검 / 자기평가

- 자기교시, 생각 말하기 훈련 공통점
 : 조.언.작.통.

자기조절에 필요한
언어 내재화하는 기술 배우고
작업기억능력 높여서
자기통제력 향상.

- 능력-성취 불일치 접근에 의한 학습
 장애 진단 절차
 : 지.성. 불.배. (+ 잠.정.)

지적능력 산출 위한 지능검사
학업성취 수준 산출
불일치 수준 산출 / 배제요인 확인
잠정적 판별 후, 정밀진단

- 틱 장애 치료 방법
 : 이.자.습.실.

이완훈련법 / 자기관찰
습관반전훈련(HRT) / 집중실행
HRT → 자기모니터링 + 이완훈련 +
경쟁반응훈련

- 사회적 의사소통 장애에서 문제되는
  의사소통 활용능력 4가지
  : 내.규.의. 변화

내포되거나 이중적인 의미 이해
대화의 규칙 따르기
맥락에 적절한 의사소통
상대방에 맞춰 의사소통 적절히 변화

- 타넨바움's 영재의 조건
  : 일.특. 비.행.환.

일반지능 / 특수적성 / 비지적 촉진제
행운 or 기회 / 환경의 영향

- 정서행동장애, 하위유형 (행동적 차원 분류)
  : 불.우. 적.과.품.

불안장애 / 우울   → 내재화 행동
적대적 반항장애
과잉행동장애(ADHD) / 품행장애

- 적대적 반항장애의 '심각도' 기준
  : 증상이 나타나는 환경의 수

- 적대적 반항장애 핵심증상 3가지
  : 기.행.보.

과민한 기분 / 논쟁적·반항적 행동 /
보복적 특성

- 품행장애 핵심 증상 4가지
  : 공.파.사.규.

공격성 / 재산파괴 / 사기 or 절도 /
심각한 규칙 위반

- 품행장애,
  '제한된 친사회적 정서 동반' 기준
  : 죄.수.냉.정.

죄책감 결여 / 수행에 무관심
냉담 / 결여된 정서

- 품행장애 원인 및 개입방법
  : 품행장애는 강.가.에 놓으면 다.처.

강압적 가족과정 / 다중체계적 처치

- 품행장애 상담/개입 기법
  : 타인. 다.처. 문.상.관.

타인조망수용훈련 / 다중체계적 처치
문제해결기술훈련
부모자녀 상호작용치료
부모 관리능력증진 훈련(PMT)

- 간헐적 폭발성 장애 주요 증상
  → 기준은 6세 이상

언어적, 신체적 공격성 : 3개월 동안 주2회
(폭행 포함) 폭발적 행동 : 12개월 동안 3회

- 퀴블러 로스's 아동의 장애 수용 단계
  : **충.분.타. 우.수.**

충격과 부인 / 분노 / 타협 / 우울 / 수용

  cf) 클라우스, 케널 : **충.부.슬.적.재.**
→ 퀴블러로스는 1단계, 클라우스 커
널은 2단계에서 의사순례 보임.

- 윌러리's 문제행동의 분류
  : **상.과.결.**
    cf) 카우프만 : 외현화 / 내재화

상황에 맞지 않는 행동
과도한 행동 : 지속시간, 반응시간은 길다.
행동결핍   : 지속시간, 반응시간 짧음.

- 문제행동의 기능
  : **원.자.회.관.**

원하는 거 얻기 / 자기자극
회피 / 관심끌기

- 긍정적 행동지원의 4가지 원리
  : **행.사.실.체.**

행동과학 기반 / 사회적으로 가치 있음
실제적 중재 (기능평가 관련~) / 체계적 접근

- 긍정적 행동지원의 실행(과정)
  : **문.평. 가.계.실.**

문제행동 확인 / 기능평가 / 가설 수립
행동지원 계획 수립 / (계획의) 실행

- 놀이치료 기본기술 (3가지만 기억)
  : **제.책. 추적.**

제한하기 / 책임감 돌리기 / 추적하기

- 옌버그's 치료놀이의 상호작용 4가지
  : **양.구.도. 참.**

양육하기 / 구조화 / 도전 / 함께 참여

- (전환교육) 윌's 교량 모형의 교육과정
  : **지속. 일.시.**

지속적 서비스 (취업의 한 유형)
일반적 서비스 / 시간제 서비스

- (전환교육) 헬펀's
  독립생활과 지역사회 적응 모형
  : **취업. 사.주.**

취업 영역
사회 · 대인관계 기술
주거환경

- (전환교육) 브롤린's
　　　생활중심 직업교육 모형의 차원
　　: **능.경.단.**

(1차원) 생활중심 능력
(2차원) 학교, 가정 및 지역사회 경험
(3차원) 진로개발의 단계
　　　→ 진로 인식 / 진로 탐색
　　　　진로 준비 / 진로 배치

- (전환교육) 울프's 특수아동 진로상담
모형의 수준
　　: **교육. 정.지.**

정보 제공 / 교육 제공 / 지지 제공

[DSM-5 : 12개월 / 3개월 / 1개월
시리즈]

- 틱 장애, 뚜렛장애 (1년)
- 순환성 장애, 지속성 우울장애
　　　　　　(아동 · 청소년이 1년)
- 파괴적 기분조절부전장애 증상
　　　　　　　(12개월 지속)
- 품행장애 증상
　(12개월 동안 3개, 지난 6개월은 1개)
- 간헐적 폭발성 장애 : 폭발적 행동
　　　　　　(12개월 이내에 3회)

- 파괴적 기분조절부전장애 : 무증상 기간
　　　　　　　(3개월 이내)
- 적응장애 : 스트레스 요인 시작 후~
　　　　　　　(3개월 이내)
- 신경성 식욕부진증, 신경성 폭식증,
　폭식장애
- 간헐적 폭발성 장애 : 공격성이 주 2회
　　　　　　　(3개월 동안)

- 조현병 : 지속적 징후 6개월 中 활성기
　　　　　　　(최소 1개월)

- 자폐 스펙트럼 + 조현병 추가 진단
　　　　: 다른 증상 + 망상, 환각
　　　　　　　(최소 1개월)
cf) 조현정동장애 = 삽화없이 존재하
는 망상, 환각 <u>2주 이상</u>

- 공황장애 : 예기불안 (1개월 이상)
- 선택적 함구증
- 외상 후 스트레스 장애 : 핵심 증상
　　　　　　　(1개월 이상)
- 급성 스트레스 장애 (3일 ~ 1개월)
- 이식증, 되새김장애

- 이상행동의 (구분) 기준
 : **부.통. 주.사.**

부적응 / 통계적 기준
주관적 불편감 / 사회적 규범

- 불안장애 범주
 : **특.선.사. 분.황.광.범.**

특정 공포증 / 선택적 함구증
사회불안장애 / 분리불안장애
공황장애 / 광장공포증 / 범불안장애

- 특정 공포증 하위 유형
 : **동.자.상.혈.** + 기타형

동물형 / 자연환경형 / 상황형
혈액-주사-손상형

- 공포증에 대한 바로우 모델
                    (공포증 3가지 경로)
 : **외.대. 발작.**

직접 외상경험에 의한 참경계 반응
대리학습
예기치 못한 공황발작 경험

- 사회불안장애에서 언급된
                    사회적 상황 3가지
 : **수.사.관.**

사람들 앞에서 수행
사회적 관계 / 관찰되는 것

- 사회공포증에 대한 바로우 모델
                    (또 3가지 경로)
 : **외.취. 발작.**

사회적 외상에 의한 참경계 반응
생물학적 취약성 or 위축되는 기질
예기치 못한 공황발작

- 클락, 웰즈's 인지이론
                    3가지 주제의 역기능적 신념
 : **수.평자. / 과.조.부.** (사회불안장애 관련~)

(사회적) 수행에 관한 과도한 기준
(사회적) 평가에 관한 조건적 신념
        자신에 관한 부정적 신념

- 클락, 웰즈's 사회적 위험 지각 시
                    자동적 변화
 : **신-인. 안.자.** (or 신.안.초.)

신체적 · 인지적 변화 / 안전행동
자기초점적 주의

- (공황장애) 예기불안 증상 2가지
 : 추.행.

추가적인 공황발작과 그 결과에 대한 걱정
부적응적인 행동 변화

- (공황장애 관련~) 클락's
          인지적 모델에서의 키워드
 → 신체감각에 대한 파국적 오해석

- 광장공포증 5가지 상황
 : 열.군.대. 밀.집.

열린 공간 / 군중 속 or 줄 서는 상황
대중교통 / 밀폐된 공간
집 밖에 혼자 있는 것

- 골드스타인's 공포에 대한 공포가설 키워드
 → 공포 관련 신체감각에 대한 두려움
   + 공포의 결과에 대한 부적응적 사고

- 레빈손's
     긍정적 강화 ↓, 불쾌 경험 ↑ 원인
 : 민.환.사.   (우울장애 관련~)

부정 경험에 대한 민감성 높은 경우
환경 자체의 문제
사회적 기술과 대처능력의 부족

- 우울한 사람이 지닌 자동적 사고
 : 미.자.세.   (인지삼제)

자신의 미래 / 자신 / 주변 환경 (세상)

- 에브럼슨's 우울증 환자의 귀인 양식
 : 내. 안.전.

내부 / 안정 / 전반적(일반적) 귀인

- 조증 삽화의 7가지 증상
 : 말.목. 주.사. + 고통. 자.수.

말이 많아짐 / 목표지향적 활동
주의산만 / 사고의 비약
고통스런 결과 초래 가능성 높은 활동 몰두
자존감 증대 / 수면 욕구 감소

- 조증 환자에게 나타나는 인지적 오류
 : 과.왜. 개.선.

과잉일반화 / 현실왜곡적 사고
개인화 / 선택적 추상화

- 강박장애 하위유형 3가지

순수한 강박사고 / 내현적 강박행동
외현적 강박행동

- 살코프스키's 강박장애 환자 인지적 과정
  : 침투적 사고 + 자동적 사고

- 강박장애, 주요 방어기제
  : **취.격. 반.대.**   (취객 반대)

취소 / 격리 / 반동 형성 / 대치

- 수집광, 인지 기능의 결함 4가지
  : **우.유. 기.손.**

우유부단 / 유목화 결함
기억 결함 / 손실의 과장된 평가

- 반응성 애착장애,
      불충분한 양육의 극단적 양식
  : **결.교.독.**

감정적 요구에 대한 지속적 결핍
                    (방임, 박탈의 형태)
보호자의 반복적 교체
독특한 구조의 양육
          (애착 형성 기회를 제한하는~)

- 급성 스트레스 장애, 주요 증상 5가지
  : **침.부.각. 해.회.**

침습 / ~ 부정적 변화 / 각성과 반응
성~ / 해리 / 회피

- 외상 후 스트레스 장애, 핵심 증상
  : **침.부.각.회.** (1-2-2-1)

침습
인지와 감정의 부정적 변화
각성과 반응성의 현저한 변화
자극 회피

- 데이비슨, 포아's
    외상 후 스트레스 장애 위험요인
  : **전.중.후.**

외상 전 / 외상 중 (외상경험 자체의 특성)
외상 후 요인

- 호로위츠's 스트레스 반응이론의 단계
  : 절.회. 동.전.통.

절규 / 회피 / 동요 / 전이 / 통합

- 야노프's 박살난 가정이론
  : **우.합. 자가.**

세상의 우호성
세상의 합리성
자신의 가치

(외상경험에 대한 반응에 영향 미치는
기본적 신념 3가지)

- (PTSD 관련~) 지속적 노출법의 구성
  : **심.호흡. 상.실.**

심리교육 / 호흡 훈련
심상 노출 / 실제 노출

- (해리성 기억상실 관련) 기억상실증 유형
- : **국.선.전.지.**(체)   (국산 전지)

국소적 / 선택적 / 전반적(일반화된)
지속적 / 체계적

- 조현병 스펙트럼 장애
                    심각성에 따른 분류
  : **조.약. 망.단. 양.조.정.**

조현형 성격장애
약화된 정신증 증후군
망상장애 / 단기 정신증적 장애
조현양상 장애 / 조현병
조현정동 장애

- 조현병 주요 증상 5가지
  : **망.환.언. 행.음**

망상 / 환각 / 와해된 언어
와해된 또는 신경증적 행동
음성증상

- 조현병 '망상' 증상의 하위 종류
  : **신.관.애. 피.과.**   (신관에 피가..)

신체망상 / 관계망상 / 애정망상
피해망상 / 과대망상

- 망상장애's 하위 유형
  : **피.과. 질.색. 신.혼.**

피해형 / 과대형 / 질투형 / 색정형 /
신체형 / 혼합형

- 워윅, 살코프스키's
                    질병불안 장애 설명 모델
  : **염려 = 생.신. 확인,**

건강에 대한 염려
→ 생리적 각성
  + 신체에 주의 + 확인 행동 유발

- 신경성 식욕부진증 유형
  : **제.제.**   → 폭식-제거형 / 제한형

- 신경성 폭식증, 3가지 중요한 특징
  : **보.폭. 체중.**

부적절한 보상행동 / 폭식삽화의 반복
자기평가가 체중, 체형에 과도하게 영향 받음

- 엘리네크's 알코올 중독의 4단계
  : 전.전. 결정. 만.

전알코올 증상 / 전조 / 결정적 / 만성

- 일반적 성격장애, 행동양식 형태의 범주
  : 대.충. 인.정.

대인관계 기능 / 충동조절
인지 / 정서(정동)

- A,B,C군 성격장애 하위 유형
  : 편집.조.조. / 자.연.반.경. / 강.의.회.

편집성 / 조현성 / 조현형
자기애성 / 연극성 / 반사회성 / 경계성
강박성 / 의존성 / 회피성

- A,B,C군 성격장애
           하위 유형별 주요 방어기제
  : 투.지.취. / 합.해.행.퇴. / 반.내.환상.

투사 / 지성화(주지화) / 취소
합리화 / 해리 / 행동화 / 퇴행
반동 형성 / 내사 / 환상

- 장애 대범주

신경발달
조현병 스펙트럼 및 기타 정신병적~
양극성 / 우울 / 불안 / 강박
외상 및 스트레스 / 해리 / 급식 및 섭식
파괴적 충동조절 및 품행~
성격 / 신체증상

- 신경발달장애 분류
  : 지.특.주. 자.틱.의.

지적장애 / 특정학습장애
주의력결핍 과잉행동
자폐스펙트럼 / 틱
사회적 의사소통장애

- 우울장애 분류
  : 주.기.지.

주요 우울장애
파괴적 기분조절부전장애
지속성 우울장애 (기분저하증)

- 불안장애 범주
  : 특.선.사. 분.황.광.범.

특정 공포증 / 선택적 함구증 / 사회
불안장애 / 분리불안장애 / 공황장애
광장공포증 / 범불안장애

- 강박 및 관련 장애
  : **강.발.수.신.피.**

강박장애 / 발모광 / 수집광
신체이형장애 / 피부뜯기장애

- 외상 및 스트레스 관련 장애
  : **외.급. 반.탈.적.**

외상 후 스트레스장애
급성 스트레스장애
반응성 애착장애
탈억제성 사회적 유대감 장애
적응장애

- 급식 및 섭식 장애
  : **부.폭.폭.이.되.**

신경성 식욕부진증
신경성 폭식증 / 폭식장애
이식증 / 되새김장애

- 파괴적, 충동조절 및 품행장애 분류
  : **품.적.폭.도.방.반.**

품행장애 / 적대적 반항장애
간헐적 폭발장애 / 병적 도벽
병적 방화 / 반사회성 성격장애

- 신체증상 및 관련 장애 분류
  : **신.전.인.질.**

신체증상장애 / 전환장애
인위성 / 질병불안

1) 신경발달 장애

- 지적 장애

 발달시기에 시작
 개념, 사회, 실행 영역
 지적기능 / 적응기능

- 특정학습 장애

 적절한 개입을 제공함에도 불구하고
학습 기술을 배우고 사용하는 데에
어려움
 (6가지 증상 중) 1가지 이상, 최소 6개월
 학업 기술이 생활연령에 기대되는
수준에 못 미침

- 주의력결핍 과잉행동장애 (ADHD)

 부주의 / 과잉행동, 충동성 증상
 12세 이전
 2가지 이상의 환경
 사회적, 학업적, 직업적 기능 감소
 다른 정신질환으로 더 잘 설명되지 않음

- 자폐 스펙트럼 장애
(지적장애, 전반적 발달지연으로 더 잘 설명 X)

1. 사회적 의사소통 및 상호작용의
   지속적 결함
 : 상.관.비.

 사회적-감정적 상호성
 관계의 이해, 발전, 유지
 비언어적 의사소통

2. 제한적이고 반복적인 행동이나
   흥미, 활동
 : 동.상. 감.흥.

동일성에 대한 고집, 융통성 없는 집착
상동 행동
감각정보에 대한 과잉 또는 과소 반응
제한되고 고정된 흥미

- 틱장애

뚜렛 / 지속적 틱 / 잠정적 틱
18세 이전에 발병

2) 조현병 스펙트럼 및 기타 정신병적
장애

- 조현병

(5가지 증상 중) 둘 이상이, 1개월 동안
→ 망. 환. 언. 행. 음
지속적 징후(전구기-활성기-잔류기)가 6개월
기능 수준의 저하

- 조현정동장애

 조현병 진단기준 A + 주요 기분 삽화
 기분 삽화 없이 2주 이상의 망상 or 환각
 기분 삽화가 (조현병 기준 A) 기간 대
 부분에 존재

3) 양극성 및 관련 장애

- 제 I 형 양극성 장애 : 조증 삽화

조증 삽화 (7가지 증상 중) 3가지 이상
 : 말.목. 주.사. 자.수. 고통.

말이 많음 / 목표 지향적 활동
주의산만 / 사고 비약 / 자존감 / 수면
고통스런 결과 초래할 활동에 몰두

→ 조증삽화는 7일, 경조증 삽화는 4일

- 제II형 양극성 장애
: 경조증 + 주요우울 삽화

주요우울 삽화 (9가지 증상 중) 5가지
이상이, 증상 (1)이나 (2)를 포함하여
2주 연속

(1) 우울 기분 / (2) 흥미 저하
체중 / 수면 / 피로 / 초조 or 지연
무가치감 / 반복적 죽음에 대한 생각
집중력 감소
→ **우.흥. 체.수.피.초. 무.죽.집**

- 순환성 장애

경조증+우울증 기간이 증상 기간 중
절반 이상
주요우울 삽화, 조증 삽화, 경조증
삽화 존재 X
아동, 청소년은 적어도 1년 동안
(성인은 2년)
다수의 경조증 기간과 우울증 기간
(삽화에는 해당 X)

4) 우울 장애

- 주요우울장애

주요우울 삽화 (5가지 이상, 2주 연속 지속)
조현병, 조현정동장애, 조현양상장애
로는 더 잘 설명 X
조증 삽화 혹은 경조증 삽화 존재한
적 없음

- 지속적 우울장애

아동, 청소년은 적어도 1년 동안
(성인은 2년)
우울이 있는 날이 더 많고
(증상 기간 중 절반 이상)
증상 없는 공백은 2개월 이내
우울 기간 동안 (6가지 증상 중) 2가지 이상

식욕 / 수면 / 피로 / 자존감 / 집중
력 감소 / 절망감
→ **절.식. 피.자.수.집.**

조증 삽화, 경조증 삽화 X
(주요우울 삽화는 있어도 됨.)
순환성 장애의 진단기준 충족 X

- 파괴적 기분조절장애

만성적인 짜증과 간헐적 분노발작
분노발작은 주 3회 이상
12개월 이상 지속
증상 없는 공백은 3개월 이내
두 군데 이상의 환경에서
(최소 한 곳은 고도의 증상)
진단기준 A~E 발생이 10세 이전
But 진단은 6~18세

5) 불안 장애

- 범불안장애

 다양한 일상 활동에 있어 지나친 불
안과 걱정
 이러한 걱정을 조절하기 어렵다고 느낌
(6가지 증상 중) 3가지 이상

안절부절 / 피곤 / 집중이 어려움
과민성 / 근육 긴장 / 수면 교란

- 공황장애

공황발작 : (13가지 증상 중) 4가지 이상
→ 심장 박동 증가, 감각 이상, 이인증
혹은 비현실감 등

예기불안 : (2가지 증상 중) 1가지 이상
→ 공황발작에 대한 근심 + 부적응적
행동 변화

- 분리불안장애

 애착대상 분리에 대한 불안, 공포
 불안, 공포 증상 (8가지 중) 3가지 이상
 아동, 청소년은 위의 반응이 4주 이상
                    (성인은 6개월 이상)

- 특정공포증

 특정 대상이나 상황에 대한 불안, 공포
 즉각적인 공포/불안 유발
 + 이를 회피하거나 견딤

동물형 / 자연환경형 / 상황형
혈액-주사-손상형

- 광장공포증

(5가지 상황 중) 2가지 이상에서 극심
한 공포, 불안 : 열.군.대.밀.집.
 광장 공포 상황은 거의 공포/불안 유발
 공황장애 유무과 관계없이 진단
                    (동시 진단 가능)

- 선택적 함구증

 말 할 수 있음에도 특정 사회적 상황에서
 장애가 학습 혹은 성취 혹은 사회적
 소통을 방해함
 증상이 1개월 이상 지속
    (입학 직후 1개월은 계산 제외)

- 사회불안장애 (사회공포증)

사회적 상황에 대한 불안/두려움
사회적 상황
= 사회적 관계 / 관찰되는 것 / 수행

6) 강박 및 관련 장애

- 강박장애

강박사고와 강박행동
유형 = 순수한 강박사고형,
　　　　내현적/외현적 강박행동형

7) 외상 및 스트레스 관련 장애

- 외상 후 스트레스장애

외상사건 경험
→ 직접 경험 / 사건을 생생히 목격
　 가까운 사람에게 일어난 것을 알게 됨
　 혐오스런 세부 사항 지나친 노출

- 급성 스트레스장애

　침습, 부정적 기분, 각성, 해리, 회피
→ 5가지 범주
　(5가지 범주 14개 증상 중) 9가지 이상
　장애 기간은 외상 노출 후 3일~1개월

- 반응성 애착 장애

성인에 대한 위축된 행동 2가지 모두 만족
사회적, 감정적 장애 (3가지 중) 2가지 이상
불충분한 양육 경험 (3가지 중) 1가지 이상

10) 파괴적 충동조절 및 품행장애

- 반사회성 성격장애

최소 18세 이상
+ 15세 이전에 품행장애 시작 증거

- 적대적 반항장애

　분노/과민 or 논쟁적/반항적 행동
or 보복적 양상
　(3가지 특성에 대한) 4가지 이상의 증상

- 품행장애

　공격성 / 재산파괴 / 사기, 절도
　심각한 규칙 위반

　(15가지 증상 중) 3가지 이상
→ 12개월 동안 지속

+ 1가지 이상 증상이
→ 지난(최근) 6개월 동안 지속

　18세 이상의 경우, 반사회성 장애
진단기준에 부합 X

11) 성격장애

- A군 성격장애 → 사회적으로 고립
  : 편집.조.조.

편집성 / 조현성 / 조현형
(투사) / (지성화) / (취소)

- B군 성격장애
    → 정서적이고 극적인 성격 특성
  : 자.연.반.경.

자기애성 / 연극성 / 반사회성 / 경계성
(합리화) / (해리) / (행동화) / (퇴행)

- C군 성격장애
    → 불안하고 두려움을 많이 느낌
  : 강.의.회.

강박성 / 의존성 / 회피성
(반동형성) / (내사) / (환상)

  → 편집.조조. / 자.연.반.경. / 강.의.회.
    투.지.취. / 합.해.행.퇴. / 반.내.환상.